EMBT ENRIC MIRALLES BENEDETTA TAGLIABUE
WORK IN PROGRESS

Estado de las obras Estat de les obres 01 | 02 | 2005

MINISTERIO
DE VIVIENDA

Col·legi d'Arquitectes
de Catalunya

The cover photo is by Yoshio Futagawa.
We thank him for his kindness in allowing us to publish it.

Este catálogo se configura como la reseña histórica y profesional de Enric Miralles y el estudio de Arquitectura –EMBT– . Un texto de reencuentro con un arquitecto y unos arquitectos que han ubicado esta disciplina humana en el entorno de la ciudad.

No pretende ser un balance, sino la demostración de unos edificios, construidos en el corazón de ciudades, en el corazón de entornos urbanísticos, buscando la referencia de los ciudadanos.

Quisiera referenciar el edificio correspondiente al Nuevo Parlamento de Escocia para depositar en él el ejemplo de capacidad integradora que Miralles ha comprometido. Una construcción esculpida en la tierra, bajo la presente mirada de la soberanía de los ciudadanos.

Al contrario de lo que opinaba Schopenhauer, cuando definía la arquitectura "como una música congelada". La observación de edificios como la rehabilitación del Mercado de Santa Caterina o la Biblioteca Pública de Palafolls pone en duda el referido pensamiento al ser testigos de construcciones vivas. Originadas desde la emergencia del arquitecto hacedor de realidades, que siente la obra como parte de la vitalidad de la historia más duradera.

Nuevamente queda reflejada en esta destacada obra arquitectónica la simbiosis entre la demolición y la reconstrucción. Dos partes de un mismo todo. El nacimiento y el resurgimiento de una idea, que se hace realidad bajo el lápiz diligente del arquitecto.

El "Parque de los Colores" en Mollet del Vallès es otro lugar de referencia. Bajo el espacio abierto se ha construido un Centro Cívico y una Ludoteca. Parapetados en la morfología del entorno podemos observar paneles suspendidos sobre pilares, en perfecta sintonía con los murales que espontáneamente han sido dibujados. En una muestra más de la capacidad de adaptación a la propia tierra de una obra arquitectónica que se reivindica por lo que hace y no sólo por lo que proyecta.

A todos los que han trabajado para crear esta exposición, gracias.

María Antonia Trujillo Ministra de Vivienda

El dia 3 de juliol del 2002 s'inaugurava a la seu barcelonina del COAC l'exposició Seqüències, que mostrà durant gairebé tres mesos els treballs més representatius d'EMBT. Aquell mateix dia, i en un emocionant acte que va fer petita la nostra sala d'actes, vaig lliurar a Benedetta Tagliabue la Medalla d'Or del Col·legi, concedida a títol pòstum a Enric Miralles. Dos anys més tard, la casa de tots els arquitectes catalans tanca l'homenatge i el reconeixement a un dels seus col·legues més enyorats amb l'edició d'aquest llibre que, a més de ser singular catàleg, serveix també per distingir l'esforç que han portat a terme tots els professionals d'EMBT per tirar endavant el seguit de projectes endegats pel despatx abans de la sobtada desaparició d'Enric al juliol de l'any 2000.

És un catàleg singular perquè, tot prenent com a guió bàsic les onze obres en curs que protagonitzaven l'exposició del 2002, aporta un valuós bagatge gràfic que cobreix des de la mateixa gestació d'aquestes en alguns dels inconfusibles dibuixos i texts de l'Enric, fins al testimoni fotogràfic de l'estat actual dels projectes, alguns ja acabats i la resta en camí d'estar-ho, que constituiran, en conjunt, el llegat d'un gran arquitecte.

El Mercat de Santa Caterina, el Parlament d'Escòcia, el campus universitari de Vigo o l'Escola d'Arquitectura de Venècia, per mencionar només alguns d'aquests onze projectes, són un testimoni viu de l'arquitectura d'Enric Miralles; un llegat tangible i que serà gaudit, recorregut i viscut per milers de persones de forma quotidiana. De ben segur que aquest és un dels grans privilegis dels arquitectes. El desplegament imaginatiu traduït en la gran complexitat formal de cada projecte; la minuciosa atenció a cadascun dels elements i els detalls que han de convergir per tancar el cicle harmònic de cada obra; la presència de referents historicistes o la concepció de la feina de l'arquitecte com un personal diàleg a tres bandes amb el programa i l'entorn, són algunes de les constants del treball de l'Enric que ara, si més no, es poden veure d'una mica més de prop gràcies a les impressionants quantitat i qualitat del material recollit en aquest llibre.

En el moment, de goig, de l'edició d'aquest llibre, també vull expressar el meu sincer agraïment a totes les persones i institucions que l'han fet possible. Des de tots els professionals d'EMBT, encapçalats per Benedetta Tagliabue, al servei de publicacions del Col·legi d'Arquitectes de Catalunya, passant per les institucions que han col·laborat en l'edició, com ara el Ministerio de Vivienda o l'Ajuntament de Barcelona. A tots ells, gràcies per ajudar-nos a reconèixer l'obra d'Enric Miralles.

Jesús Alonso i Sainz Degà del COAC

... Y gracias a todos...

Éste es el catalogo de la exposición organizada en el Colegio de Arquitectos de Catalunya con ocasión de la entrega de la Medalla de Oro del Colegio a Enric Miralles. Nuestro estudio ha trabajado junto con Carles Llop, entonces vocal de cultura del Colegio, para idear y elaborar la exposición y el catálogo.

No se ha querido aquí hacer una retrospectiva, ya que se trata de un trabajo totalmente vivo y todavía por acabar. Simplemente, hemos preparado una exposición parecida a las que hacíamos con Enric, aprovechando la ocasión de presentar el propio trabajo como una excusa para revisitarlo e inventar algo nuevo. La instalación de la exposición y la manera de explicar los proyectos son, en sí mismas, un nuevo proyecto. Hemos colaborado con Bigas Luna, amigo y gran persona del mundo del cine, para producir con su atelier y con el nuestro un documental de 30 minutos donde se explica el estado de las obras en el momento de la inauguración de la exposición, exactamente dos años después de la muerte de Enric el 3 de julio de 2002. Algunas obras ya estaban acabadas; otras, medio construidas; otras, todavía no se habían empezado. Enric no ha tenido la suerte de ver ninguna de ellas terminada. Este catálogo completa el vídeo documental, que aquí se incluye en formato DVD, y explica los 11 proyectos elegidos con material diverso, casi siempre inédito. Un texto ilustrado, autógrafo y inédito, Enric nos introduce en el mundo de una geometría vegetal, como una especie de clave cifrada que nos deja entrar un poco más en el espíritu de los proyectos de esos años... ...Es un texto que habla de flores, de los proyectos como flores, y de mucho más...

Gracias a todos los que han ayudado...

... And thanks to everybody...

This is the catalogue for the exhibition held at the Architects' Association in Catalunya when the Association awarded its Gold Medal to Enric Miralles. Our studio worked with Carles Llop who was at the time one of the Association's officers for culture, in conceiving and putting together the exhibition and catalogue.

It has not been my intention here to do a retrospective, for the work remains wholly alive and unfinished. So we've simply done an exhibition like those we used to do with Enric, taking the opportunity to present the work as an excuse for reviewing it and coming up with something new. The layout of the exhibition and the way of explaining the projects are, in themselves, a new project. We've worked here with Bigas Luna, a friend and outstanding figure in the film world, in the co-production, between his studio and ours, of a 30-minute documentary showing the status of the works at the time of the opening of the exhibition, exactly two years after Enric's death: the 3rd of July 2002. Some works were already finished, others half built, others yet to begin. Enric wasn't fortunate enough to see any of them complete. This catalogue complements the video documentary included here in DVD format, and contains a range of material, almost all of it never before published, about the 11 projects selected. A previously unpublished text illustrated and signed by Enric serves as an introduction to a world of vegetal geometry– like a sort of coded key that allows us to enter a bit more in the spirit of the projects of these years... A text that speaks of flowers, the projects as flowers, and of many things more...

Thanks to everybody for the help.

Benedetta Tagliabue Barcelona, January 2004.

EMBT

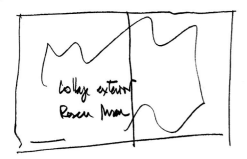
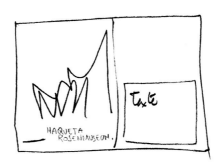
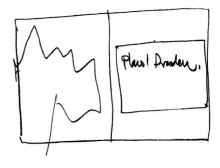

Addition to the Rosenmuseum Steinfurth, Frankfurt. Photomontage Enric Miralles, 1994
Extensió per al Rosenmuseum Steinfurth, Frankfurt. Fotomuntatge d'Enric Miralles, 1994

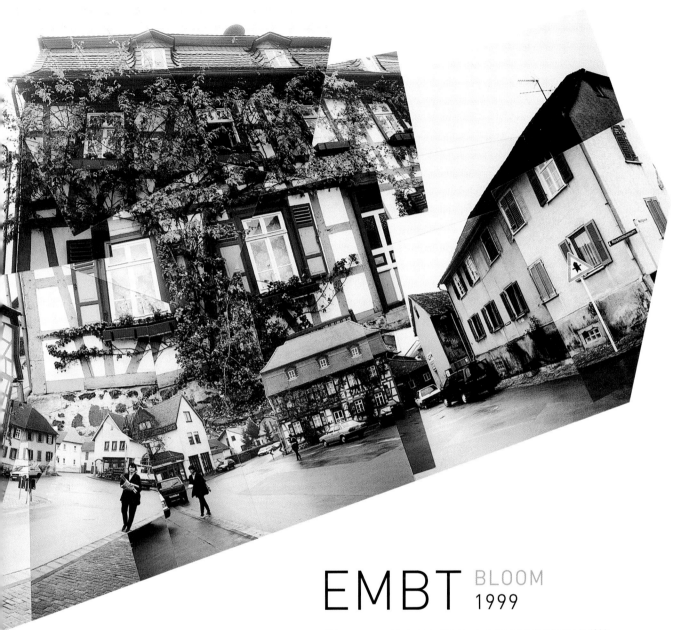

EMBT BLOOM 1999

This sequence of images and texts was done by Enric Miralles in 1999
for the flower magazine *Bloom*. Despite Enric's enthusiasm for *Bloom*,
the article was never published until now.
Aquesta seqüència d'imatges i textos fou preparada per Enric Miralles
el 1999 per a la revista de flors "Bloom". Malgrat la il·lusió que "Bloom"
li feia a l'Enric, aquest article mai es va publicar, fins ara.

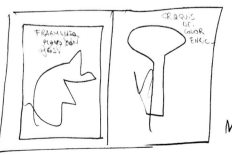

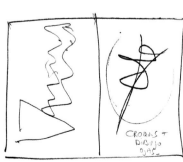

Ceramic tiling, Madge House. Sketch Enric Miralles, 1998
Ceràmica Casa Madge. Croquis d'Enric Miralles, 1998

The paths approach each other... / and though they don't cross, / they do walk side-by-side for a while... / This approaching and separation / is a model of growth that is also found / in the growth of plants... / due to this effort to meet... / the leaves and flowers seem to us – often – / as an unexpected outcome.

Els camins s'apropen uns als altres ... / i si no es creuen, / caminen junts per un temps... / Aquest apropar-se i / separar-se és un model / de creixement que també es troba / en el creixement vegetal... / d'aquest esforç de / reunió... / les fulles i / les flors ens en semblen —molts cops— / una conseqüència inesperada.

Dresden flower exhibition, 24 May 1995. Photomontage Enric Miralles
Exposició de flors a Dresden, 24 de maig de 1995. Fotomuntatge d'Enric Miralles

The Rosen Museum building in Bad-Neuheim /
succeeds in emptying the interior of /
the existing building until it leaves in its place
a shutter / where the flowers grow on the
exterior... / and are sheltered in its interior.

L'edifici per al Rosen Museum a Bad-Neuheim /
proposa buidar l'interior de l'edificació existent fins
deixar / una gelosia / on les flors creixen en el
seu exterior... / i són protegides en el seu interior.

osenmuseum 1995

Rosenmuseum Steinfurth, Frankfurt. Drawing EMBT Arq. Ass.
Rosenmuseum Steinfurth, Frankfurt. Dibuix a mà d'EMBT Arq. Ass.

Dresden Flower Exhibition Competition. 24 May, 1995. Photomontage Enric Miralles
Concurs per a l'exposició de flors a Dresden. 24 de maig de 1995. Fotomuntatge Enric Miralles
↗ Drawing EMBT Arq. Ass., 1995. Dibuix a mà d'EMBT Arq. Ass., 1995

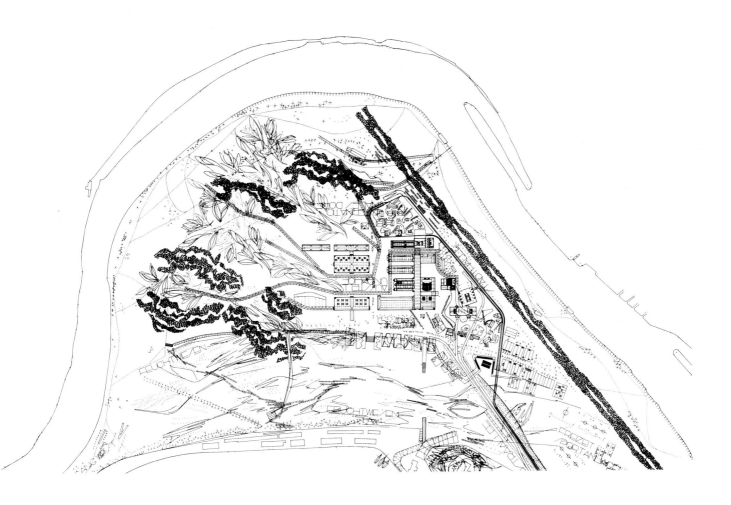

At the same time as the project for Parc de Mollet / in recalling the carpets of flowers that / cover the streets for Corpus Christi/ this tapestry of flowers / was the raw material / in the attempt to approach the / proposal for Dresden..

En paral·lel al projecte per al parc a Mollet / i recordant les catifes de flors que / cobreixen els carrers per Corpus. / Aquest tapís de flors / va ser el primer material / temptatiu per apropar-se a la / proposta per a Dresden.

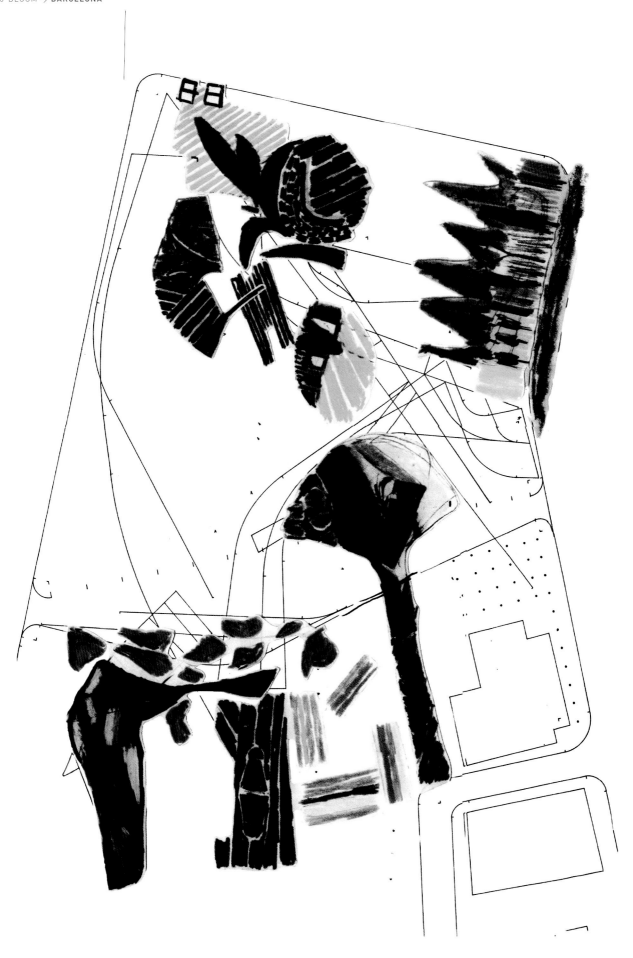

Parc dels Colors in Mollet del Vallès, Barcelona. Collage Enric Miralles Parc dels Colors a Mollet del Vallès, Barcelona. Collage d´Enric Miralles
→ Particular collage. Detail Detall del collage

The same thing becomes / more real at Parc de / Mollet... /
These fragments of interiors, some of / which include houseplants... /
make up the flooring / of the public space...

Això mateix es fa / més verídic al parc de / Mollet... / Aquests fragments d'interiors,
alguns dels / quals recullen plantes domèstiques... / construeixen
els terres / de l'espai públic...

Parc de Diagonal Mar, Barcelona. Sketch Enric Miralles, 1997
Parc de Diagonal Mar, Barcelona. Croquis d´Enric Miralles, 1997

un cop més la delicadesa i
la facilitat amb què es poden
organitzar els rams de flors és
un model per treballar.

i Tot això no es
pot veure d'una manera
directa...

Once again the delicateness and / ease used to / arrange bunches of flowers is / a model for work. / All this cannot / be seen directly...

Un cop més la delicadesa i / la facilitat amb què es poden / organitzar els rams de flors és / un model per treballar. / Tot això no es / pot veure d'una manera / directa...

Some of the first drawings for the / Parc de Diagonal Mar / search among the path groupings /
to find the intensity / of flows... / These two principles / of intensity and delicateness...
Alguns dels primers dibuixos per al / parc de Diagonal Mar / busquen l'agrupament / dels camins per trobar
la intensitat / de fluxos... / Aquests dos principis / d'intensitat i de delicadesa...

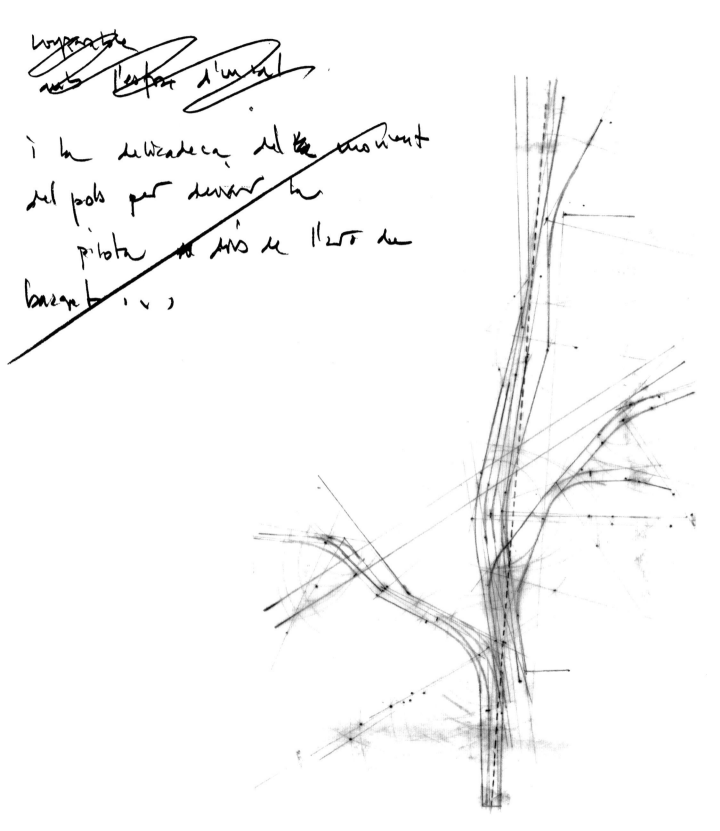

comparable to the effort of jumping
and the delicateness of the movement / of the wrist
in lofting the ball / Though the basketball hoop

comparable amb l'esforç d'un salt

i la delicadesa del moviment / del pols per deixar la / pilota
dins de l'aro de / bàsquet...

Parc de Diagonal Mar, Barcelona.
← Sketch Enric Miralles, 1997 Croquis d'Enric Miralles, 1997

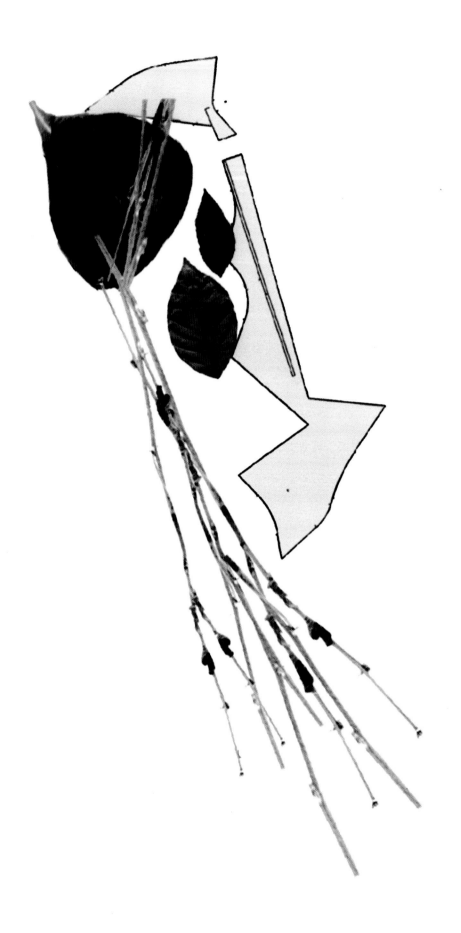

Scottish Parliament Building, Edinburgh. Collage Enric Miralles, 1998
Parlament d'Edimburg. Collage d'Enric Miralles, 1998

This double / movement / is found at the beginning / of the project for Edinburgh. / As if the first approach / To the shape of the Parliament / would have been better drawn / with branches / placed upon the / ground / and leaves that allow themselves to be delicately / moved / until they find / their position...

Aquest doble / moviment / es troba a l'inici / del treball per a Edimburg. / Com si la primera aproximació / a la forma del Parlament / fos millor dibuixar-la / amb unes branques / que es col·loquen sobre el / terra / i unes fulles / que es deixen / delicadament / desplaçar / fins que troben la / seva posició...

Barcelona is bisected
by Diagonal.
Now, after a century,
Diagonal reaches the sea.
The lines above all indicate
a desire, a desire for
a natural world in the city,
a reflection of something
at the back of our minds,
like a garden, like paradise.
Enric Miralles
and Benedetta Tagliabue

We found the first drawings very, very exciting,
and as we advanced in the project, imagination
and creativity came together to really contribute
to the creation of one of the best parks in the
world. Hines, client.

It really is the culmination of a dream, the dream of building this new
neighbourhood, of completing this part of the city, of extending the
avenue, Diagonal, to the sea, with this green promenade here, this
pedestrian promenade, bicycle the paths, skating lanes, a place for
duck. When Enric started talking about these things, I thought he
was half mad. Ed Fernandez, client

Direct commission Encàrrec directe. Direct commission 2003 FAD Critics Prize and 2004 Valencia Ceramics Prize Premi FAD de l'opinió 2003 i Premi
ceràmica de València 2004. Architects Arquitectes → Enric Miralles, Benedetta Tagliabue, Arquitectes Associats. Project head Responsables del projecte
→ Elena Rocchi, Lluís Cantallops. Realization Realització → 1997 2002. Location Lloc → Barcelona, Espanya. Client → Diagonal Mar/Hines. Collaborators
Col·laboradors → Edaw, Londres (Landscape Architects Arquitectes paisatgistes); Xavier Sust (Construction Architects Arquitectes urbanistes);
Europroject Consultores Asociados, José María Velasco (Engineers Enginyers); Benjumea (Builder Constructor).

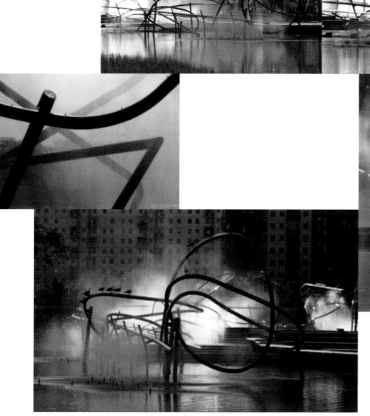

Now that I see it finished, I think
that Parc de Diagonal Mar
embodies the original ideas.
What I like best about it, is this
strong vibration. You come to
this square and you see
the pergolas, the fountains, the
vegetation that's starting to grow,
the hanging vases, the movement
of the leaves on the trees,
the vibration of the shadows,
which are the main things that
we wanted to achieve.
Benedetta Tagliabue

EMBT PARC DIAGONAL MAR
BARCELONA 1997-2002

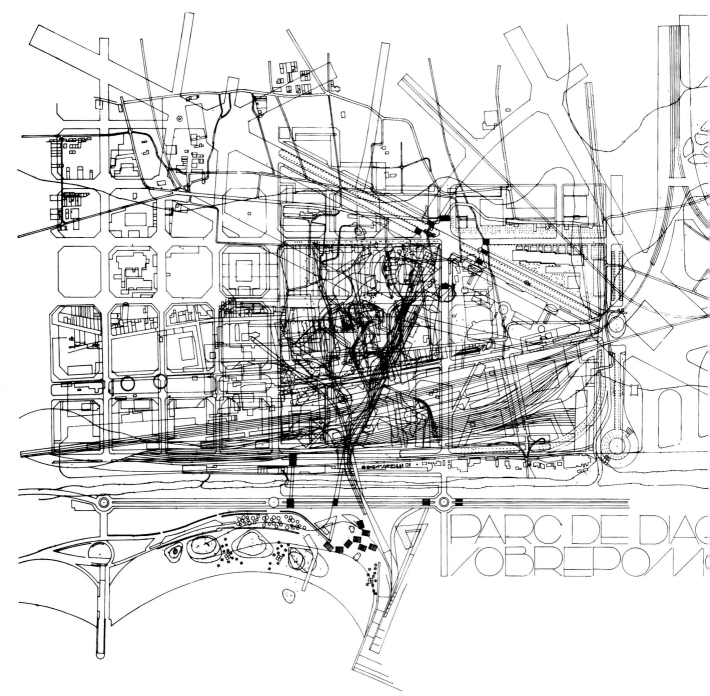

Parc de Diagonal Mar is a large park stretching
along Avinguda Diagonal and the seafront.
Parc de Diagonal Mar is arranged following
a series of paths, similar to the branches
on a tree, branching out in all directions.

The main promenade, a sort of Rambla, links
Diagonal with the nearby beach, crossing
the seafront bypass by means of a soon-to-
be-built footbridge.

This promenade, and the rest of the paths that
cross the park, turns progressively into a series
of lanes: for skating, cycling, ...etc...

Enric Miralles i Benedetta Tagliabue 1998

El Parc de Diagonal Mar és un gran parc
que s'allarga i que relaciona l'avinguda
Diagonal i la platja.

El Parc de Diagonal Mar està ordenat tot
seguint una sèrie de camins que
s'assemblen a les branques d'un arbre,
que es ramifiquen en totes direccions.

El passeig principal, una mena de Rambla,
connecta directament la Diagonal amb
la platja propera, travessant el Cinturó
Litoral per un pont per a vianants que es
construirà aviat.

Aquesta rambla i la resta dels camins
que creuen el parc, es van transformant
en una sèrie de pistes de joc: per patinar,
passejar amb bicicleta, etc...

Historical overlay. Drawing EMBT Arq. Ass. 1997
Superposició històrica. Dibuix a mà d'EMBT Arq. Ass. 1997

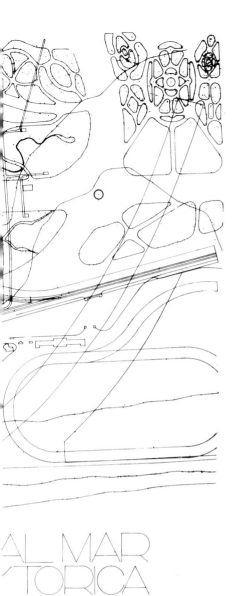

AL MAR
TORICA

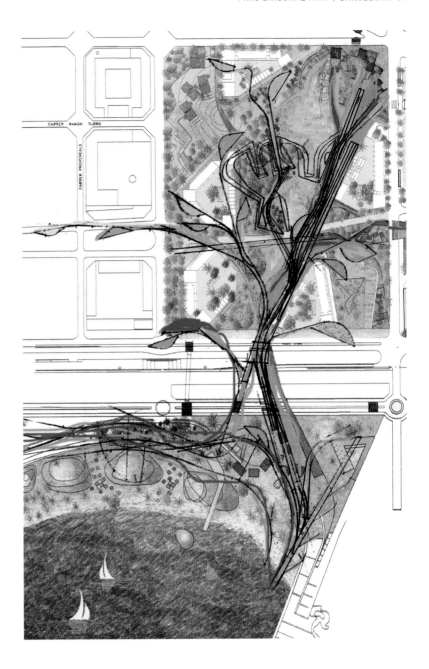

↑ Park plan overlay with initial sketch by Enric Miralles, 1997
Superposició planta parc amb croquis inicial d'Enric Miralles, 1997
↓ Site under construction, 2001
Lloc en construcció, 2001

↑ Sketch of Diagonal Mar as a chinese garden. Enric Miralles, 1997
Croquis de Diagonal Mar com a jardí xinès. Enric Miralles, 1997
→ Collage Enric Miralles, 1997

First studies of the bottom of the towers. a. /
b. topographical spine. /
c. valley.
d. path of the sport activities

97.

Uns mapes de desigs

Els primers croquis per al Parc de
Diagonal Mar són línies que seleccionen,
sobretot, uns camins d'energia,
uns fluxos que només més endavant
es transformaran en camins, muntanyes,
aigua, espais infantils.
Aquestes línies indiquen un desig, abans
de tot un desig d'un món natural a la
ciutat, reflex de quelcom de llunyà en les
nostres ments, d'un jardí, d'un paradís.
Desig d'entrar en l'espai d'una flor,
de transformar-se en una abella i contar
la realitat fantàstica que has vist en
aquesta estranya condició.
Desig de contar d'un món xinès, on cada
pedra queda dibuixada, o d'un món de
colors, de línies i de taques taronges
i roses. Els primers dibuixos del Parc de
Diagonal Mar són uns mapes de desigs.

First studies of the bottom of the towers. a. /
b. topographical spine / c. valley / d. path of the sport activities
Primers estudis de la base de les torres a. /
b. columna vertebral topogràfica / c. vall / d. pista d'activitats esportives

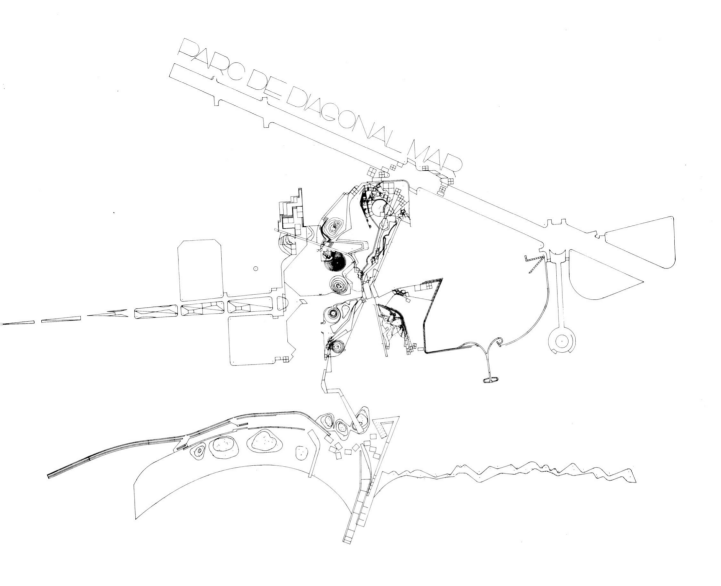

Maps of desires

The first sketches for Parc de Diagonal Mar are lines that, above all, select paths
of energy, flows that only later become paths, mountains, water, places for children.
Those lines principally indicate a desire, a desire for a natural world in the city,
reflection of something at the back of our minds, a garden, paradise.
A desire to enter into the recesses of a flower, to turn into a bee and talk about the
fantastic reality that you've seen in that alien state.
A desire to tell of a Chinese world, where every stone is captured in a pen and ink,
or a world of colours, of orange and pink lines and splotches.
The first drawings of Parc de Diagonal Mar are maps of desires.

Benedetta Tagliabue 2001

↑ Siteplant, drawing EMBT Arq. Ass. Plànol general. Dibuix a mà d'EMBT Arq. Ass., 1997
← Sketch Enric Miralles, 1997 Croquis d'Enric Miralles, 1997

Definition of the park:
1 We start by forming continuous slopes.
2. The water should be "moving water" and should be coherent
with the general slope. 3. The hill should have its part
4. The surface, which is not hill or valley, should be an
interesting promenade... Many many, scales and possibilities
5. The Diagonal-to-sea promenade is a balcony
Enric Miralles 1997

Definició del parc:
1. Partim de pendents continus
2. L'aigua hauria de ser "aigua en moviment"
i hauria de ser coherent amb el pendent general.
El turó hi hauria de tenir part
3. La superfície que no és turó ni vall hauria
de ser un passeig interessant...
Moltes, moltes, escales i possibilitats
4. El passeig de la Diagonal fins al mar és un balcó

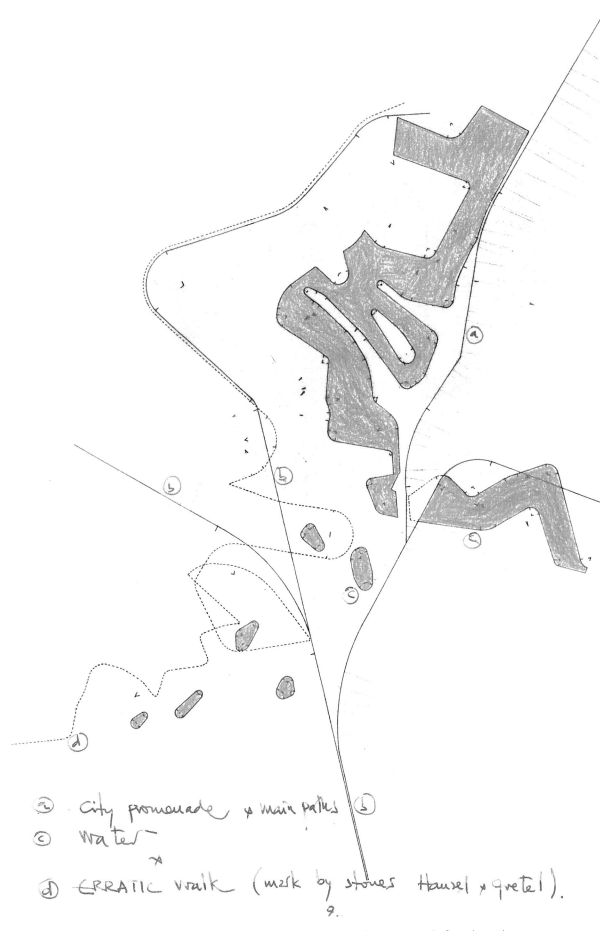

a. city promenade & main paths (b)
c. Water
d. ERRATIC walk (mark by stones Hansel & Gretel).
9.

↑ Parc de Diagonal Mar, Barcelona. Site plan. Sketches drawing.
Planta. Dibuix fet a mà de les taques, 1997
↖ Sketches, Enric Miralles
Taques, croquis d'Enric Miralles

a. city promenade & main paths
c. water d. an erratic walk /marked by stones
(Hansel & Gretel)
a. passeig en la ciutat i principals itineraris
c. aigua d. caminada a l'atzar
(marcada per les pedres Hansel i Gretel).

...Passejar

El passeig principal voreja
un gran llac que, juntament amb la
superfície arbrada, potser és
el que dóna personalitat al parc...

És una gran superfície d'aigua
en la qual diverses fonts,
un salt d'aigua i la vegetació
de les voreres permeten
oxigenar l'aigua, perquè sigui
un lloc d'esbarjo...
petits vaixells, jocs d'aigua, etc...

...Stroll

The main path follows the edge of a large pond, which, along with a
three lined surface, is what gives its character to the park...

It is a large stretch of water with its various estuarys, a waterfall and the vegetation
along the edges oxygenating the water, so that it might be place of recreation...
small boats, water play, etc...

Fountains and lake Fonts i llac   Enric Miralles, Benedetta Tagliabue 1997

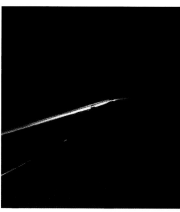

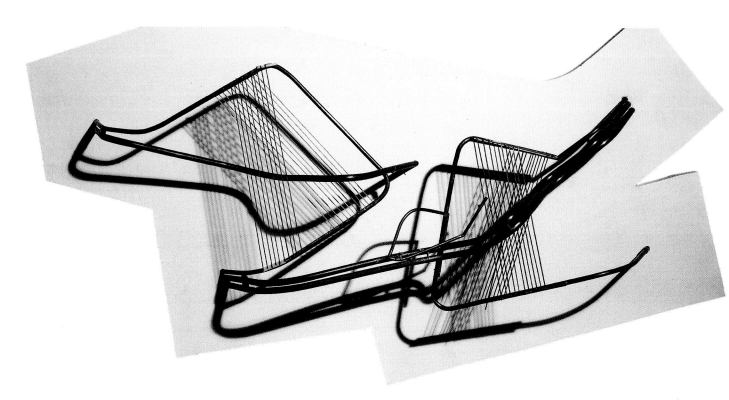

Parc de Diagonal Mar, Barcelona. The pergolas and model of the pergola
Parc de Diagonal Mar, Barcelona. Pèrgoles i maqueta de la pèrgola

The arrival of the vegetation and the paths at the edges of the park form a series of small squares.
At these places a series of large ceramic vessels mingle with the existing vegetation, in something
akin to the garden of a private home... Here there are benches, pergolas, bar.....

L'arribada de la vegetació i els camins als vorals del parc formen una sèrie de placetes.
En aquests llocs, una sèrie de grans vasos de ceràmica s'uneixen amb la vegetació existent,
en quelcom de semblant al jardí d'una casa... Aquí hi ha bancs, pèrgoles, bar...

© Alex Gautier

Banco Lungomare: Section studies Banco Lungomare / Test at the beach / Study prototype / Texture test / First prototype, 1999
Banc Lungomare: Prova a la platja / Estudis seccions / Estudi prototipus / Estudi prototipus / Primer prototipus, 1999

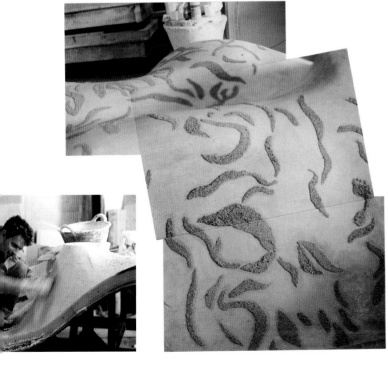

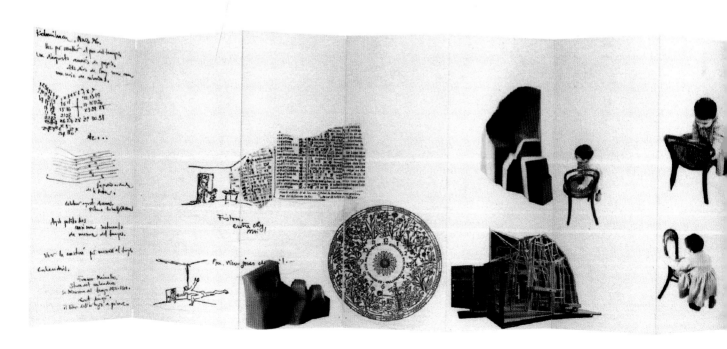

Parc de Diagonal Mar, Barcelona. Kolonihaven.
Project notebook for the "Kolonihaven". Enric Miralles, 1996. Llibreta de projecte per a "kolonihaven". Enric Miralles, 1996

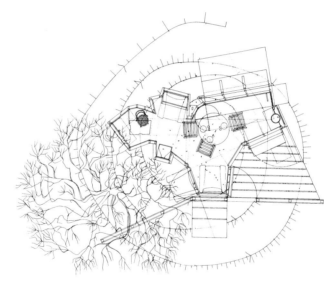

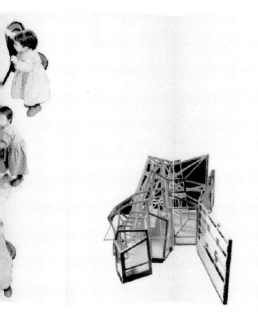

Kolonihaven, MACBA, Barcelona. Exhibition at MACBA 2001 Exposició al MACBA 2001
Kolonihaven. Plan, drawing EMBT Arq. Ass. Planta, dibuix a mà d'EMBT Arq. Ass.

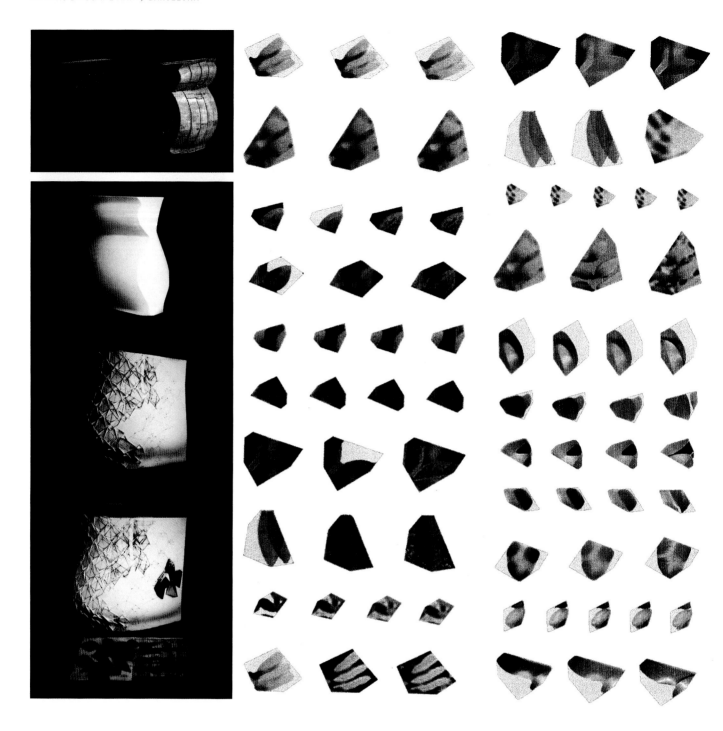

The presence of water characterizes the vegetation here...
In simple terms, the vegetation starts with that typical
of wetlands, by the sea and the lake, and from there increases in
height and density until we come to the surrounding streets...
And the vegetation flies above ones head

La presència de l'aigua caracteritza la vegetació de la zona...
De manera resumida, la vegetació es desenvolupa tot
seguint el caràcter de les maresmes prop del mar i del llac, i després va
creixent en altura i densitat fins que arriba als carrers adjacents...
I la vegetació vola per sobre dels caps

Vase for Parc de Diagonal Mar: Gerro per al Parc de Diagonal Mar:
↑ **Study models** Maquetes d'estudis
Prototype study ceramic skin Prototipus estudi pell de ceràmica
↗ **Graphic study** Estudi gràfic

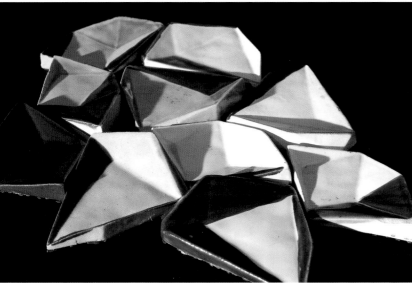

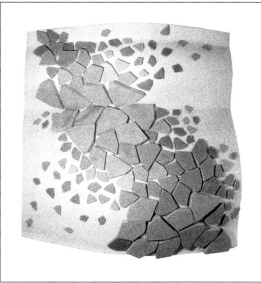

Vases Gerros
Ceramic tests for vases Proves ceràmica per a gerros
Vase for Parc de Diagonal Mar, ceramic study model
Gerro per al Parc de Diagonal Mar.
Maqueta d'estudi de la ceràmica

I find this work by Enric Miralles and Benedetta Tagliabue
particularly interesting because I believe that it is precisely
in a garden of these dimensions where the conditions
that usage imposes on architecture is at its most relaxed
and where, the author's imagination comes most into play.
In this case, they show their great power of imagination,
with a freedom of forms and treatment of materials which
I consider particularly extraordinary. Federico Correa. Architect

Parc dels Colors, Mollet del Vallès. Commission Encàrrec 1992. Premi FAD 2002. Architects Arquitectes → Enric Miralles Benedetta Tagliabue, Arquitectes
Associats. Project head Responsable del projecte → Lluís Cantallops. Realization Realització → 1996-2001. Location Lloc → Mollet del Vallès, Barcelona,
Spain. Client → City of Mollet del Vallès Ajuntament de Mollet del Vallès. Collaborators Col·laboradors → Ove Arup & Partners, London Londres, Miguel
Barreras, Barcelona (Structure stage 1 Estructura 1 fase); J.C. Adell, Ricard Pi and Ricardo Serra, C.E.A. (stages 2 and 3 2a i 3a fase). Josep Juliol, Josep
Massachs, P.G.I. (Fittings Instal·lacions); Jordi Altés, G3, Barcelona; Josep Ortiz, M. Àngels Rodríguez, City of Mollet del Vallès Ajuntament de Mollet del Vallès
(Works Obra). Laia Codina, COPCISA; ALM-4; BONAL (Construction Construcció)

A cultural element or a veritable
magna sculpture in the middle
of the city, *Parc dels Colors*.
Montserrat Tura. Mayor of Mollet del Vallès.

To transform a marginalized site into a public construction...
involving a landscape that has never existed... an ideal
landscape. A place where it rains every morning – early.
Enric Miralles

EMBT PARC DELS COLORS
MOLLET DEL VALLÈS
1991 - 2001

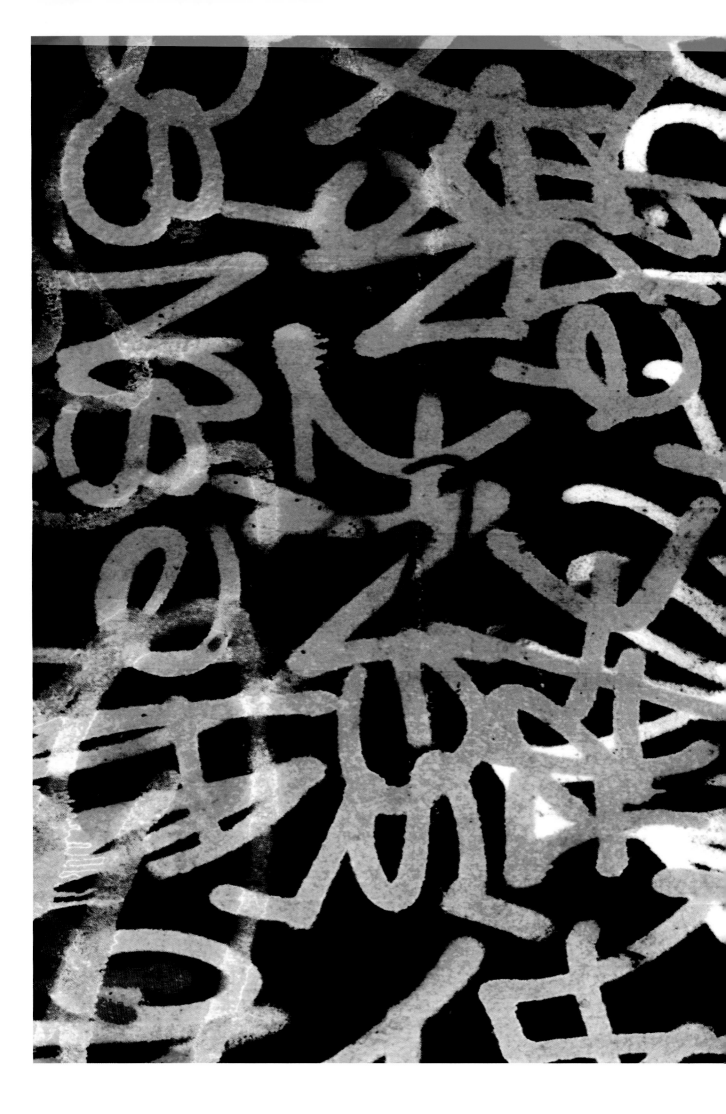

The project has been in the making for 7 or 8 years...
        I don't know.
I don't remember.
To this text we might add the first texts which explain
quite clearly the idea of a social landscape and
the places that we have considered for the construction
of this project...
What the construction has offered heretofore
is a different conceptual framework.
        A sort of hidden oniric
 quality appears.
        I have the impression of it coming out of a dream.
        You might say that it is a sort of subconscious
reality that emerges during the construction...
        But I don't think so.
It's not my dream.
        It's not the dream of architects.
it is something that has real substance based upon
an oniric reality.

Oct'99 Enric Miralles

El projecte va endavant des de fa 7 o 8 anys...
        no ho sé.
No me'n recordo.
A aquest text, s'hi podran afegir els primers
textos que expliquen molt clarament la idea d'un
paisatge social i del lloc que hem pensat per
construir aquest projecte...
Allò que ha ofert la construcció fins ara
és un marc conceptual diferent.
        Una espècie de qualitat onírica
 amagada va apareixent.
        Tinc la impressió que ve d'un somni.
        Es podria dir que és una mena de realitat
subconscient que emergeix durant la construcció...
        Però no ho crec.
No és el meu somni.
                No és el somni dels arquitectes.
És quelcom que té substància real,
fonamentat sobre una realitat onírica.

← Graffiti in Mollet Grafits a Mollet
Party at Mollet. Photo Foto: Benedetta Tagliabue, 1992 Festa a Mollet, 1992
Photomontage of the site, 1992 Fotomuntatge del solar, 1992

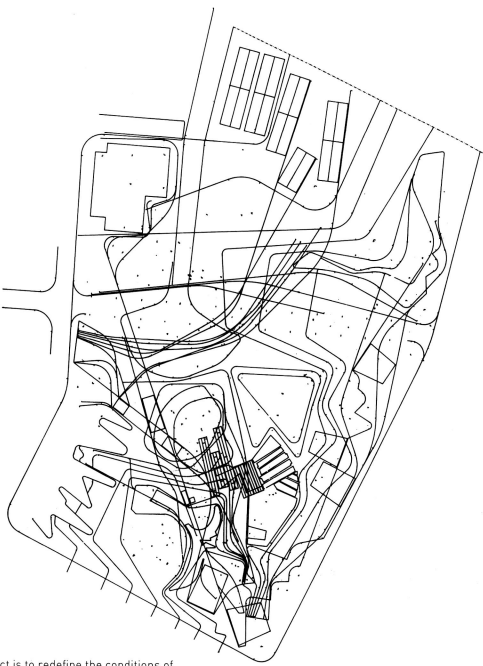

The most important task in this project is to redefine the conditions of
the site, before deciding to build.
It is something similar to being able to recognise the reality of a site,
in which the topography combines with a social desire, for transforming this
marginal site into a shared public construction.
The activities that will occur there already exist, only now they'll
occur in different streets and spaces... I started to work trying to think
of a building that would involve a landscape that didn't exist there...
... An ideal landscape   Enric Miralles 1994

La tasca més important d'aquest projecte és redefinir les condicions del lloc
abans de decidir-se a construir.
És quelcom semblant a ser capaços de reconèixer la realitat d'un lloc
on la topografia es combina amb un desig social de transformar aquest lloc
marginal en una construcció pública i compartida.
S'hi faran activitats que ja es practiquen, però que ara es duen a terme
en carrers i espais diferents... Em vaig posar a treballar esforçant-me a pensar
en un edifici que implicaria un paisatge que, allí, no existia... Un paisatge ideal.

Park plan, drawing EMBT Arq. Ass., 1993 Planta parc. Dibuix a mà d'EMBT Arq. Ass., 1993
Park plan, computer drawing EMBT Arq. Ass. Plànol del parc. Dibuix amb ordinador d'EMBT Arq. Ass.

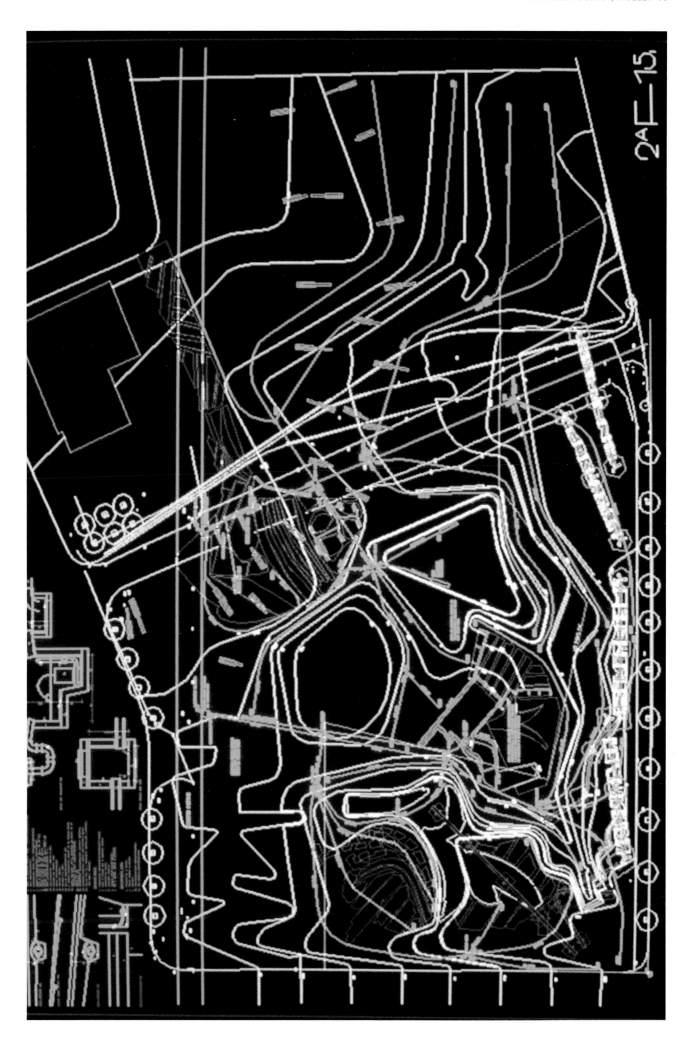

A building atop a hill... a building where the wealth of its variations
adapt to the topography... in its absence it will make the richness of
the site appear... Enric Miralles 1991

> Un edifici dalt d'un turó... un edifici on la riquesa de les seves
> variacions s'adapta a la topografia... la seva absència farà aparèixer
> la riquesa del lloc...

The vegetation, in the form of compact masses, defines the different spaces.
An artificial vegetation creates the Park.
The artificial is expressed in colours, bold colours like those of giant fruit
seen from above. Enric Miralles 1993

> La vegetació, en forma de masses compactes, defineix els diferents
> espais. Una vegetació artificial crea el parc.
> Allò artificial s'expressa amb colors, colors forts com els de les
> fruites gegants vistes des de dalt.

Detail of model Detall maqueta
Detail of paving. Computer drawing EMBT Arq. Ass., 1995
Detall paviments. Dibuix amb ordinador d'EMBT Arq. Ass., 1995

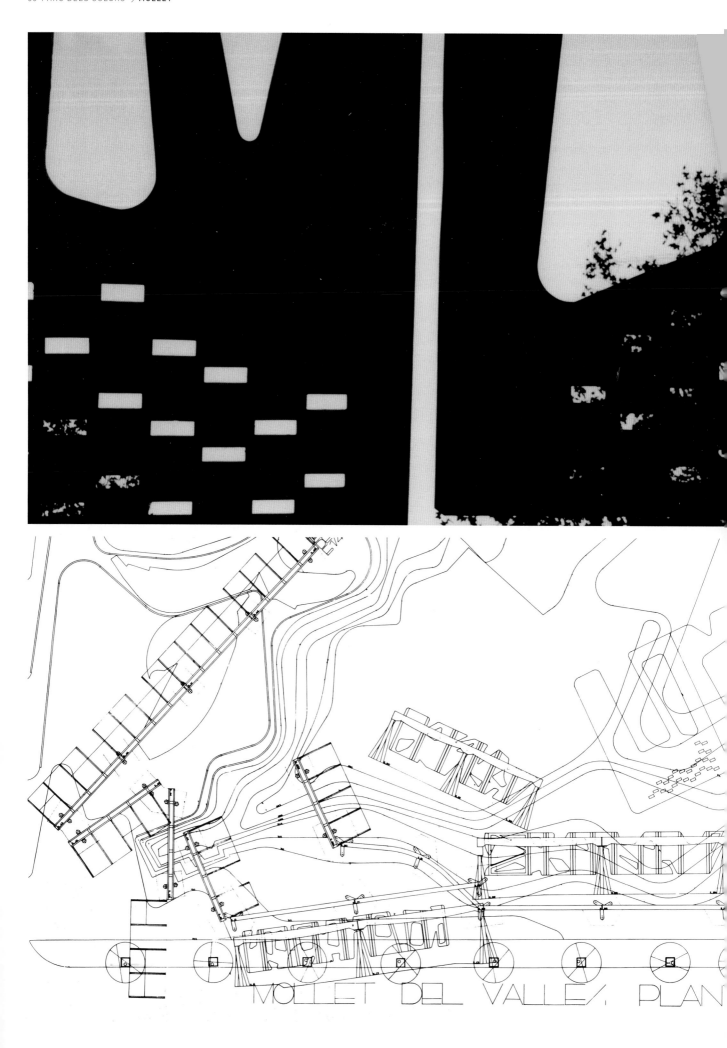

MOLLET DEL VALLES, PLAN

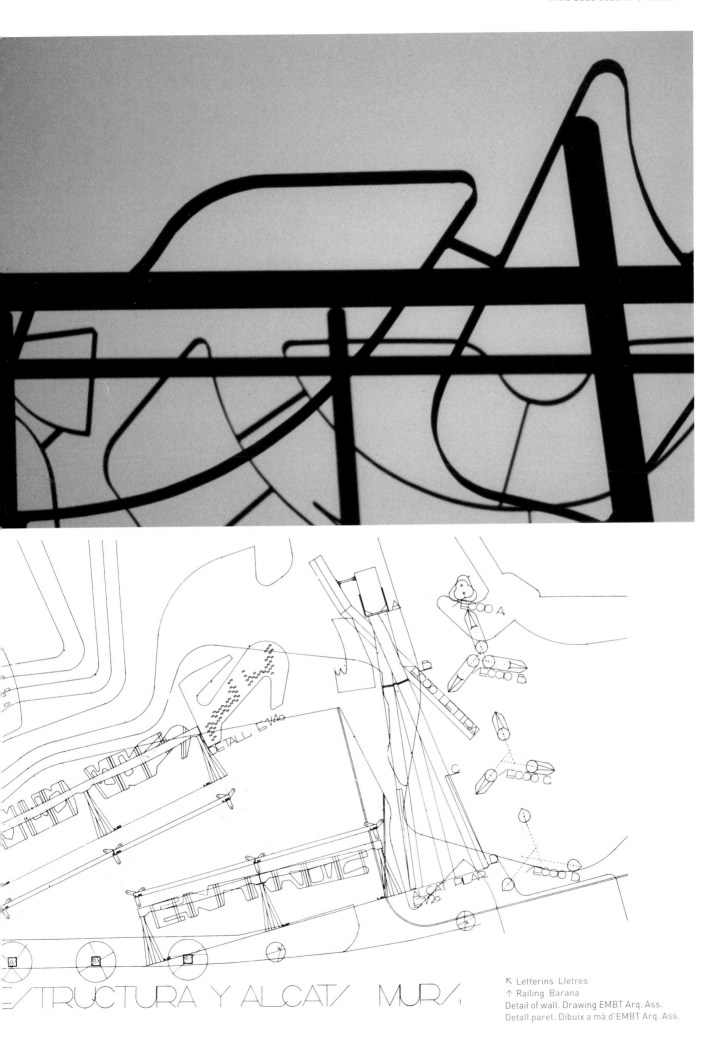

ESTRUCTURA Y ALCATS MURS

⤶ Letterins Lletres
↑ Railing Barana
Detail of wall. Drawing EMBT Arq. Ass.
Detall paret. Dibuix a mà d'EMBT Arq. Ass.

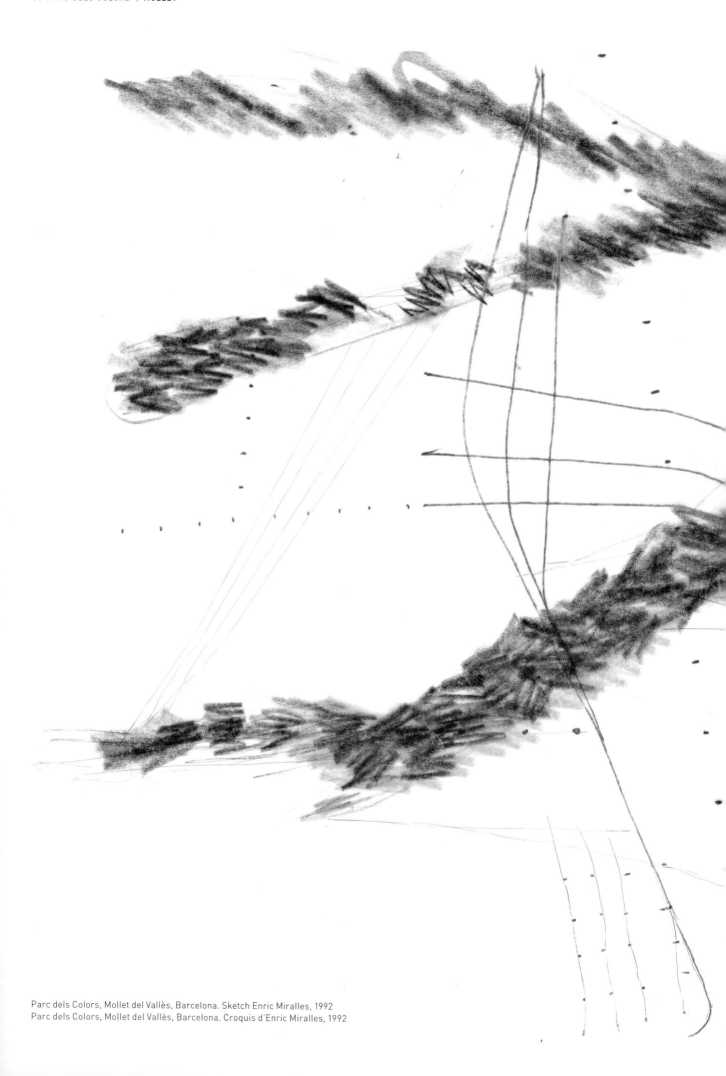

Parc dels Colors, Mollet del Vallès, Barcelona. Sketch Enric Miralles, 1992
Parc dels Colors, Mollet del Vallès, Barcelona. Croquis d'Enric Miralles, 1992

↑ Parc dels Colors, Mollet del Vallès
San Pietro in Civitale, Italy. Initiation path. Photos Fotos: Enric Miralles, Benedetta Tagliabue, 1991 San Pietro in Civitale, Itàlia. Camí iniciàtic, 1991

Mollet del Vallès. In 1991 the photographer
Domi Mora captured Mollet on film– a place
on the periphery –. In 2002 citizens of
Mollet captured the park with their gaze.

Mollet del Vallès. El fotògraf Domi Mora va
captar, el 1991, fotogrames de Mollet
com a lloc de perifèria. El 2002, ciutadans de
Mollet van captar el parc amb la seva mirada.

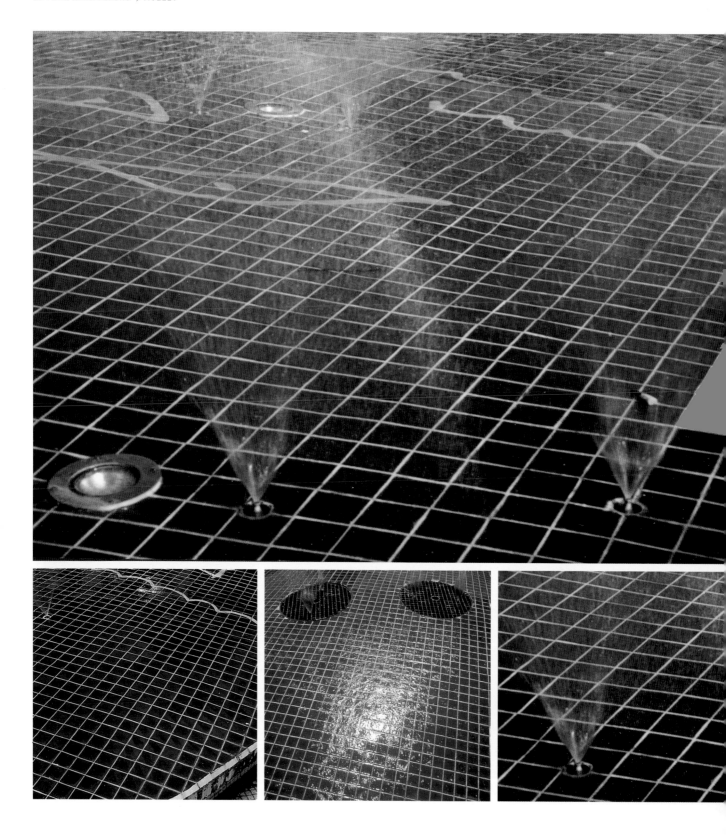

Shifting shadows cast by the building ...
They'll build a play area.
The traces of water, its movement, will define the passage of time

Ombres canviants projectades per l'edifici...
Construiran una zona de jocs.
Les traces de l'aigua, el seu moviment, definiran passos temporals.

Fountain dedicated to Enric Miralles Font dedicada a Enric Miralles

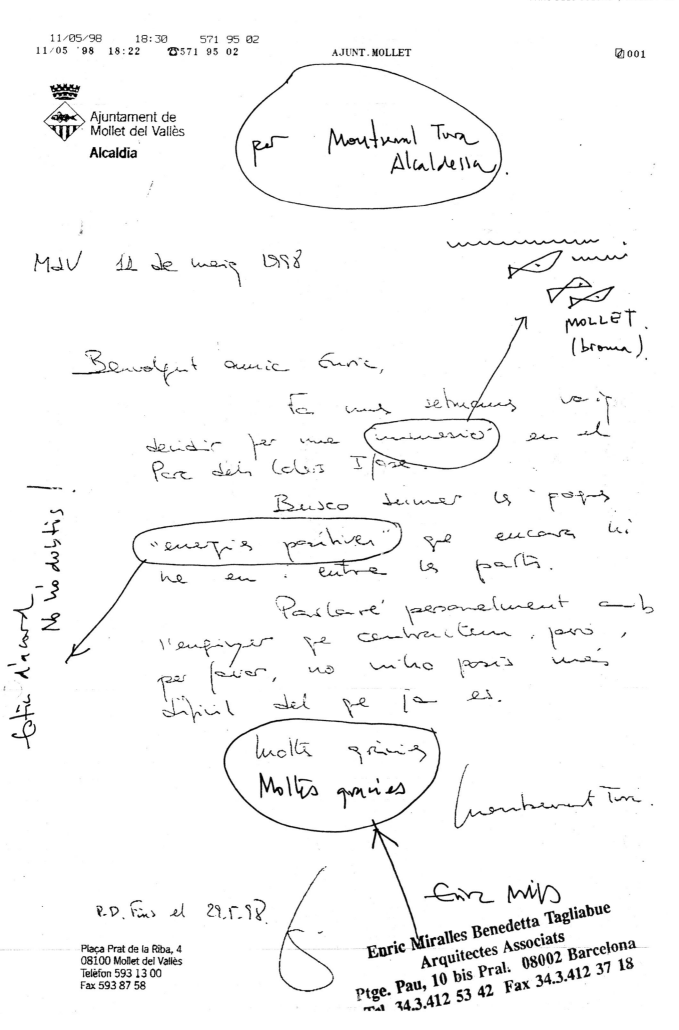

Plaça Prat de la Riba, 4
08100 Mollet del Vallès
Telèfon 593 13 00
Fax 593 87 58

Well, when we finished work on the sports centre with Arata Isozaki, I asked him which architect he could recommend to me and he said it had to be Enric Miralles, the best architect in the world.
Valentí Agustí, mayor of Palafolls

As you enter the town of Palafolls you notice some odd beams which look rather like the mountains nearby. It's a strange place.
When you arrive here you almost always get lost. As you get near to the library just about the only thing you see is the roof. We've done a rather introverted building.
It's just a single room and most of the light comes in through the roof.
It creates a door between the outside and the inside. It's a bit like making a magic boundary.
Benedetta Tagliabue

Palafolls Public Library. Biblioteca Pública de Palafolls. Competition August 1997 First Prize. Concurs agost 1997 Primer premi. Architects Arquitectes → Enric Miralles, Benedetta Tagliabue, Arquitectes Associats. Project head Responsables del projecte → Makoto Fukuda, Hirotaka Koizumi. Realization Construcció → 1999 – in the finishing stage en fase d'acabament. Location Lloc → Palafolls, Spain. Client → City of Palafolls, Cultural Section, Library Services Ajuntament de Palafolls, Servei Biblioteca Àrea de Cultura. Collaborators Col·laboradors → Gerardo Gonzalez, STATIC, Barcelona; Nilo Lletjós, IOC (Structures Estructures); Albert Ribera, Barcelona (Technical project Projecte tècnic); Josep Massachs, PGI, Barcelona.(Fittings Instal·lacions).

A few books and a dream.
A series of rooms
and gardens, assembled
but not linear.
Enric Miralles

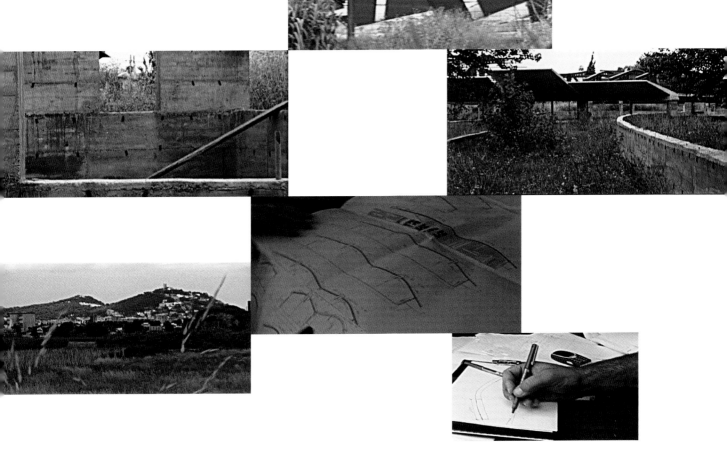

EMBT BIBLIOTECA
PALAFOLLS 1997-

Library under construction. Biblioteca en construcció
→ Sketch for competition Enric Miralles, 1997. Croquis per a concurs d'Enric Miralles, 1997

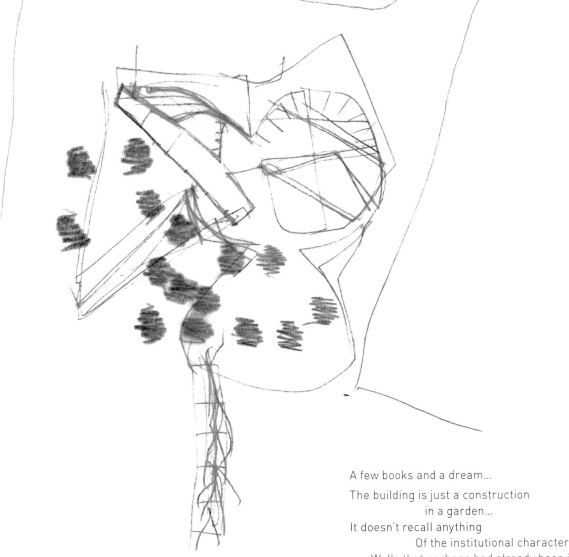

Uns llibres i un somni...

L'edifici és una construcció
            qualsevol en un jardí...
No guarda cap record
            del caràcter institucional de les biblioteques.
      ...Són uns murs que potser hi havia en aquest lloc.

Nosaltres ens hem esforçat, per diferents camins,
      A dotar la biblioteca d'una mena de gravetat
de laberint. Una sèrie d'habitacions i jardins encaixats
de manera no lineal.

L'edifici és un experiment...
Els canvis i variacions continus del projecte,
Així com l'autoritat d'acceptar el resultat final...

Només una curiositat: el Palau d'Esports d'Isozaki és
            El nostre veí.
I Palafolls està construint una ciutat, dirigit pel seu
alcalde, Valentí Agustí,
Que demana a cada arquitecte que construeixi segons
els nostres somnis.

A few books and a dream...

The building is just a construction
            in a garden...
It doesn't recall anything
            Of the institutional character of libraries.
      ...Walls that perhaps had already been in this place.

We have been trying different paths
      To give the library a sort of labyrinth-like gravity.
A series of rooms and gardens, assembled but
not linear.

The building is an experiment...
These continual changes and variations,
As well as the authority to accept the final result...

Just one thing: Isozaki's sports centre is
            Our neighbour.
And Palafolls, led by mayor Valentí Agustí,
who is building a city and asks each architect to build
as our dreams dictate.
Enric Miralles 1998

Photomontage site Fotomuntatge entorn

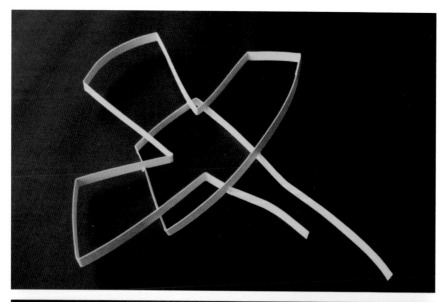

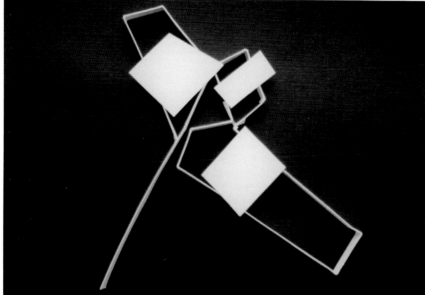

Library, Palafolls. Study model, tests, 1996 Biblioteca, Palafolls. Maqueta d'estudi, proves, 1996
→ Final roof model Maqueta coberta definitiva

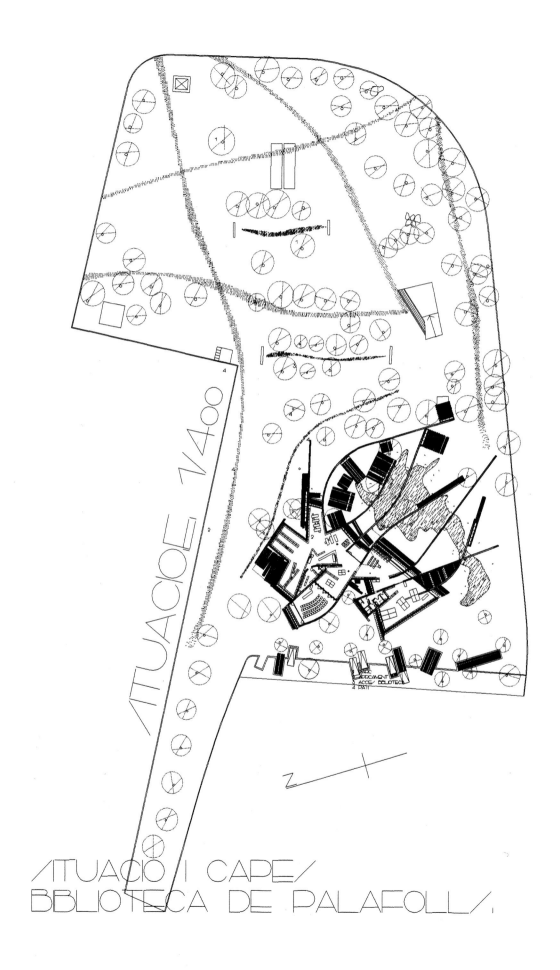

SITUACIÓ E. 1/400

SITUACIÓ I CAPES
BIBLIOTECA DE PALAFOLLS

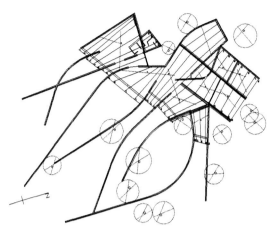

PLANTA MURS DE TOTXO

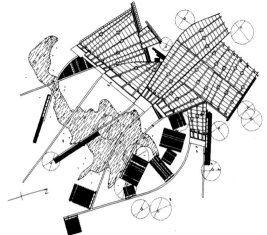

PLANTA COBERTA

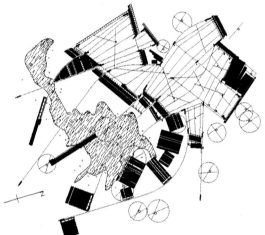

PLANTA ESTRUCTURA FORMIGO

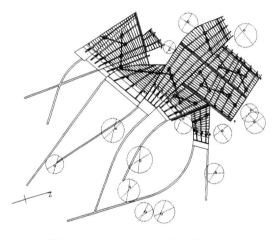

ESTRUCTURA SEGUNDARIA COBERTA

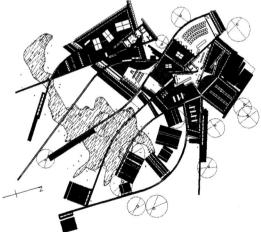

PLANTA GENERAL AREES

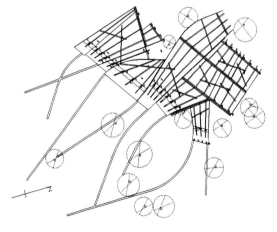

ESTRUCTURA PRINCIPAL COBERTA

...The structure of the library is based on a system of pillars that work
independently of the skin,
...The skin is a system composed of shelves,
and prefabricated exterior components.
...At the upper part of the skin there is a cornice that protects the strip window
that runs the length of the profile of the skin.
...The main source of light is a system of skylights
arranged in accordance with the reading area.
The outer walls form courtyards and reading gardens.

...L'estructura de la biblioteca s'organitza segons
un sistema de pilars que funcionen independentment de la pell.
...La pell és un sistema compost de prestatgeries i de peces
prefabricades exteriors.
...A la part superior de la pell, hi ha una cornisa que protegeix
una finestra seguida que recorre tot el perfil de la pell.
...La il·luminació principal consisteix en un sistema de lluernes
arranjades en relació amb les àrees de lectura.
Els murs a l'exterior formen patis i jardins de lectura.

→ Plans and elevations bearing walls Plànols i alçats parets de càrrega
Under construction En construcció

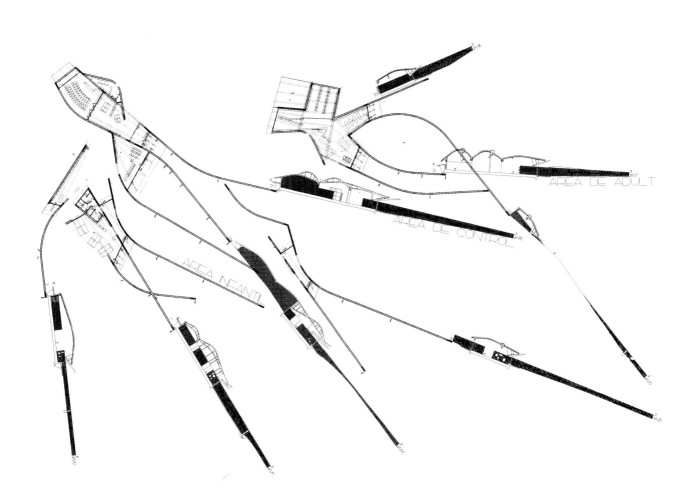

AREA DE ADULT

AREA DE CONTROL

AREA INFANTI

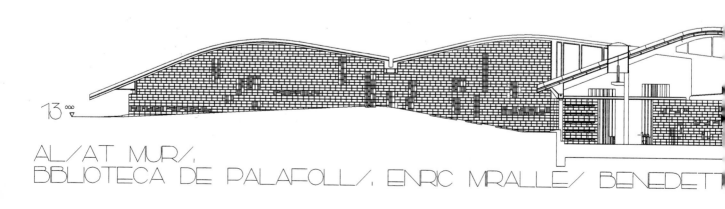

ALÇAT MURS,
BIBLIOTECA DE PALAFOLLS, ENRIC MIRALLES BENEDETT

MIRALLES · TAGLIABUE

I came to know the Vigo classroom building by accident.
I was visiting a university residence there and, when I went
on top of a hill, I saw a silhouette that reminded me of a
strange insect, a millipede undergoing strange undulations.
I wanted to go to see the bowels of the building and, indeed,
once inside all zoological reference vanished and I found
magnificent corridors, magnificent classrooms, all lit with a
light from above that entered magically and made the interior
space glow. Jose Antonio Martínez Lapeña, Architect

The students should
be able to profit
from the character of
the landscape:
silence, concentration,
intensity of individual
work in an ideal place
Enric Miralles
and Benedetta Tagliabue

Vigo University Campus Campus universitario de Vigo. Commission 1999 Encargo 1999. Architects Aquitectos → Enric Miralles Benedetta Tagliabue, Arquitectes Associats. Project head Responsable del proyecto → Dani Rosselló. Realization Realización → 1999- 2003. Client Cliente → Universidad de Vigo, Cidade Universitaria, S.A. Collaborators Colaboradores → Nilo Lletjós, IOC (Structures Estructuras); GOC (Geotechnology Geotécnica) Manolo Cuquejo; Alfonso Penela, Tecnic G3 (Technical project Proyecto técnico); Josep Massachs, PROISOTEC (Fittings Instalaciones)

Some buildings stand erect to contemplate
the mountains, others kneel to the ground
to restore a profile, but they all try to
create public places from which we can turn
our gaze upon this Galician landscape.
Dani Rosselló, Architect

EMBT CAMPUS UNIVERSITARIO
VIGO 1999-2003

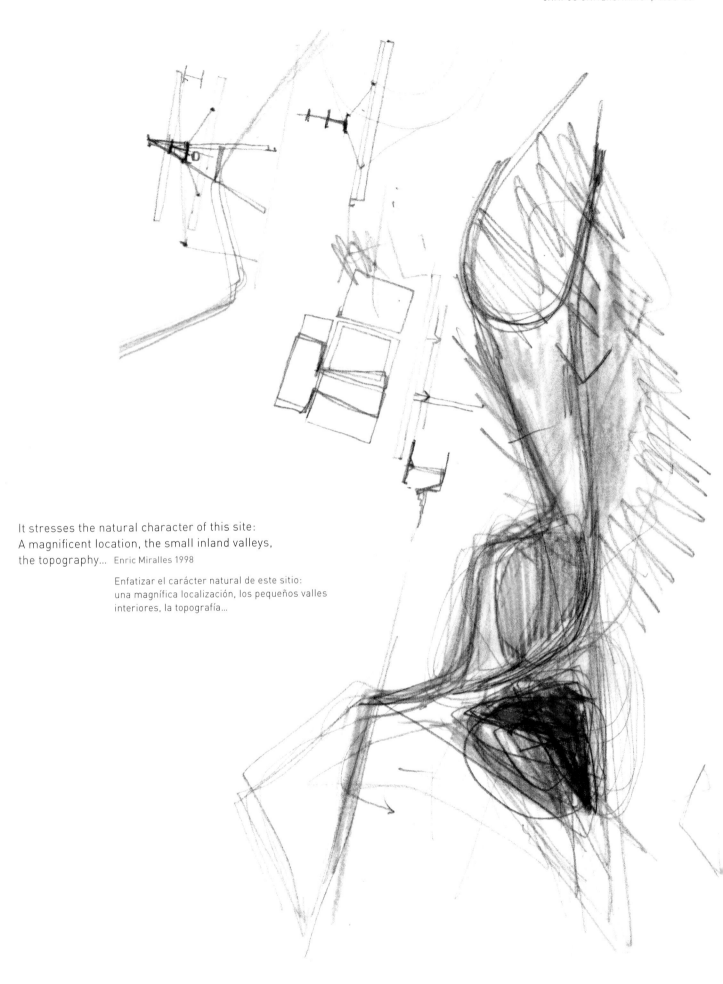

It stresses the natural character of this site:
A magnificent location, the small inland valleys,
the topography... Enric Miralles 1998

Enfatizar el carácter natural de este sitio:
una magnífica localización, los pequeños valles
interiores, la topografía...

← Classroom building Aulario
Entrance to the campus, pergola and lake. Sketch Enric Miralles, 1998
Entrada al campus, pérgola y lago. Croquis de Enric Miralles, 1998

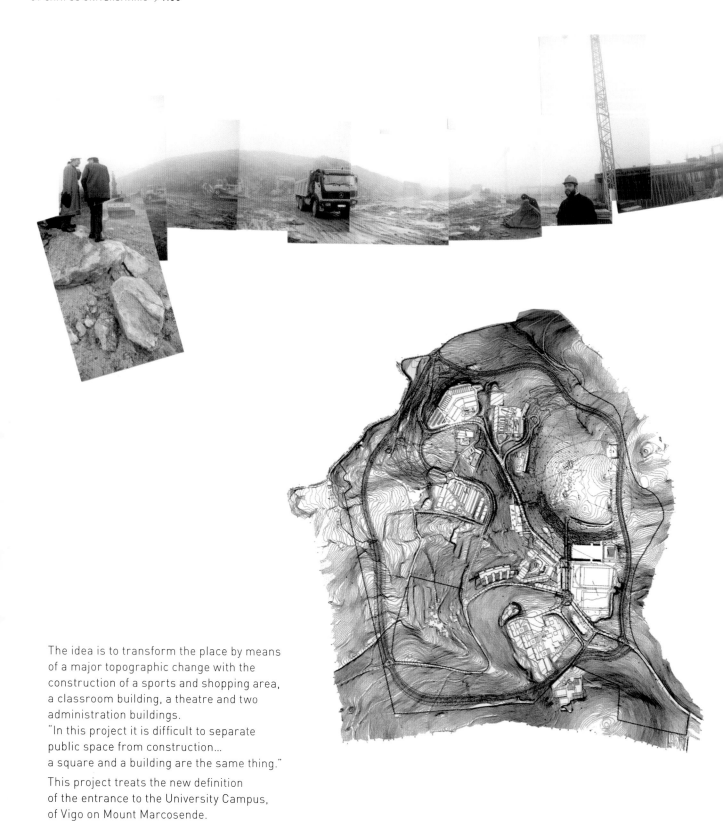

The idea is to transform the place by means
of a major topographic change with the
construction of a sports and shopping area,
a classroom building, a theatre and two
administration buildings.
"In this project it is difficult to separate
public space from construction...
a square and a building are the same thing."

This project treats the new definition
of the entrance to the University Campus,
of Vigo on Mount Marcosende.

Trata de trasformar el lugar a través de un importante cambio topográfico
y de la construcción de una zona deportiva y comercial, de un aulario,
un teatro y dos edificios de rectorado.
"En este proyecto es difícil separar el espacio público de la edificación...,
una plaza y un edificio son lo mismo".

Este proyecto trata de la nueva definición de la entrada al Campus de la
Universidad de Vigo en la montaña de Marcosiende.

Photomontage of earth moving, 2001 Fotomontaje del movimiento de tierras, 2001
Topographic, previous state. EMBT Arq. Ass. Topográfico, estado previo. EMBT Arq. Ass.
→ Site model Maqueta del emplazamiento

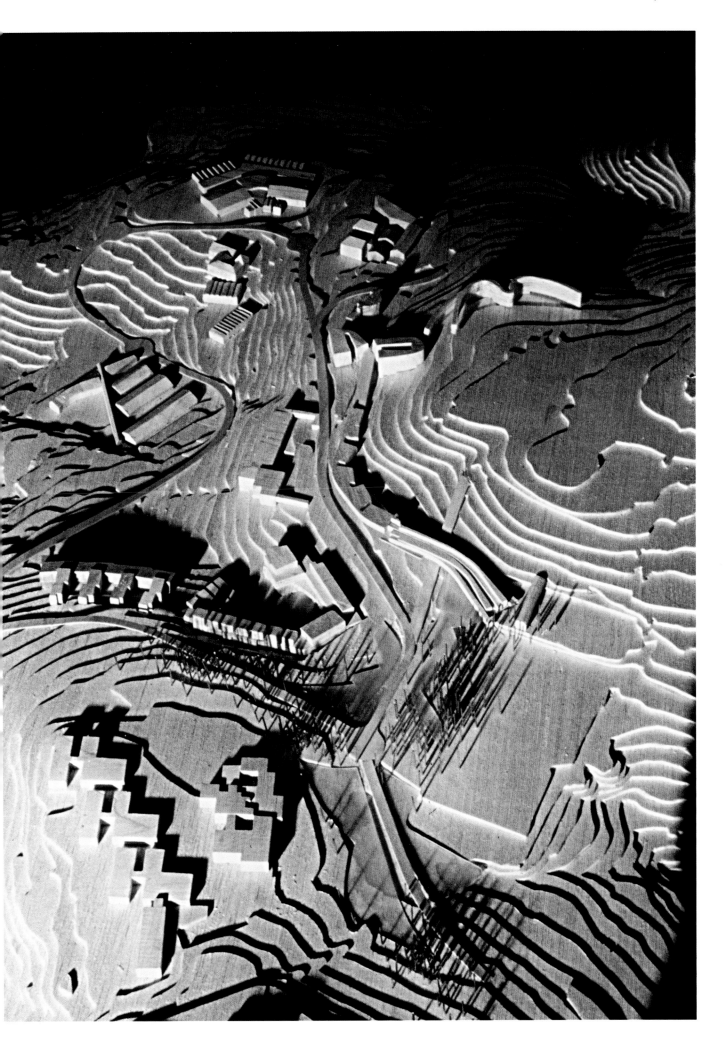

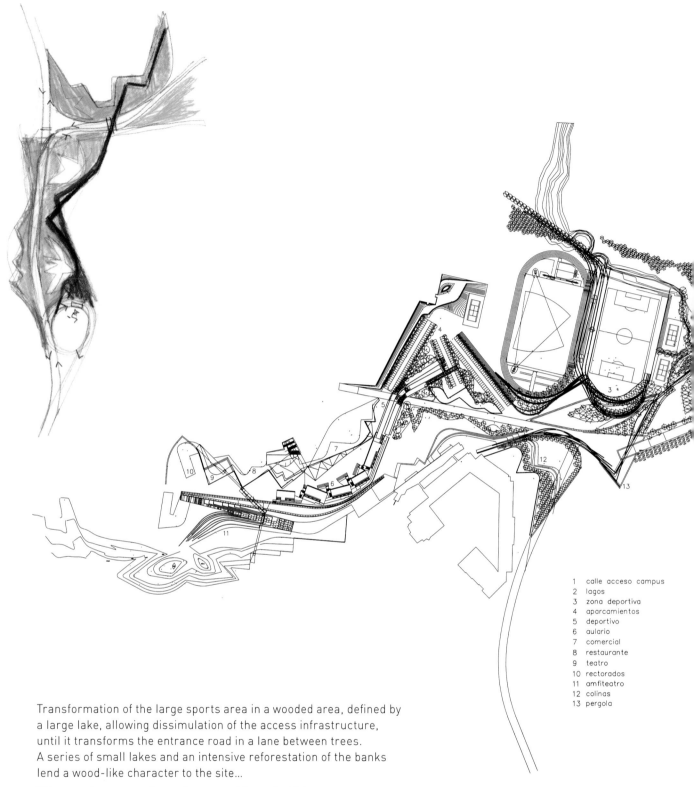

1 calle acceso campus
2 lagos
3 zona deportiva
4 aparcamientos
5 deportivo
6 aulario
7 comercial
8 restaurante
9 teatro
10 rectorados
11 amfiteatro
12 colinas
13 pergola

Transformation of the large sports area in a wooded area, defined by
a large lake, allowing dissimulation of the access infrastructure,
until it transforms the entrance road in a lane between trees.
A series of small lakes and an intensive reforestation of the banks
lend a wood-like character to the site...

This zone become a place where sport is part of leisure...

Transformación de la gran zona deportiva en una zona de bosque, definida por
un gran lago, que permite desdibujar las infraestructuras de acceso hasta transformar
la calle de entrada en un paso entre los árboles.
Una serie de pequeños lagos y una reforestación intensiva de los bordes
da el carácter de bosque a este lugar...

Esta zona se transforma en un lugar donde la actividad deportiva es parte del ocio.

↑ Sketch Enric Miralles, 1998 Croquis de Enric Miralles, 1998
Site plants Plano general

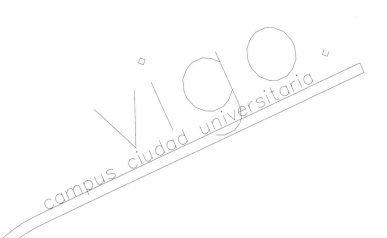

LAGOS.

PARQUE.

PLAZAS.

Run through the trees...
The students should be able to profit from
the character of the landscape: silence,
concentration, intensity of individual work
in an ideal place for such purposes.
This redefinition of the landscape at the
entrance includes criteria
of sustainability and suitability with regard
to the trees and shrubs by
seeking compatibility between varieties
with extensions of water.
Enric Miralles 1998

Correr a través de los árboles...
Los estudiantes deberían poder aprovechar
el carácter paisajístico de este lugar:
silencio, concentración, intensidad del trabajo
personal en un lugar ideal para que éste
se produzca.
En esta redefinición del paisaje, en la entrada
se aportan criterios de sostenibilidad e
idoneidad respecto a los árboles y arbustos,
buscando la compatibilidad de las
variedades con las extensiones de agua.

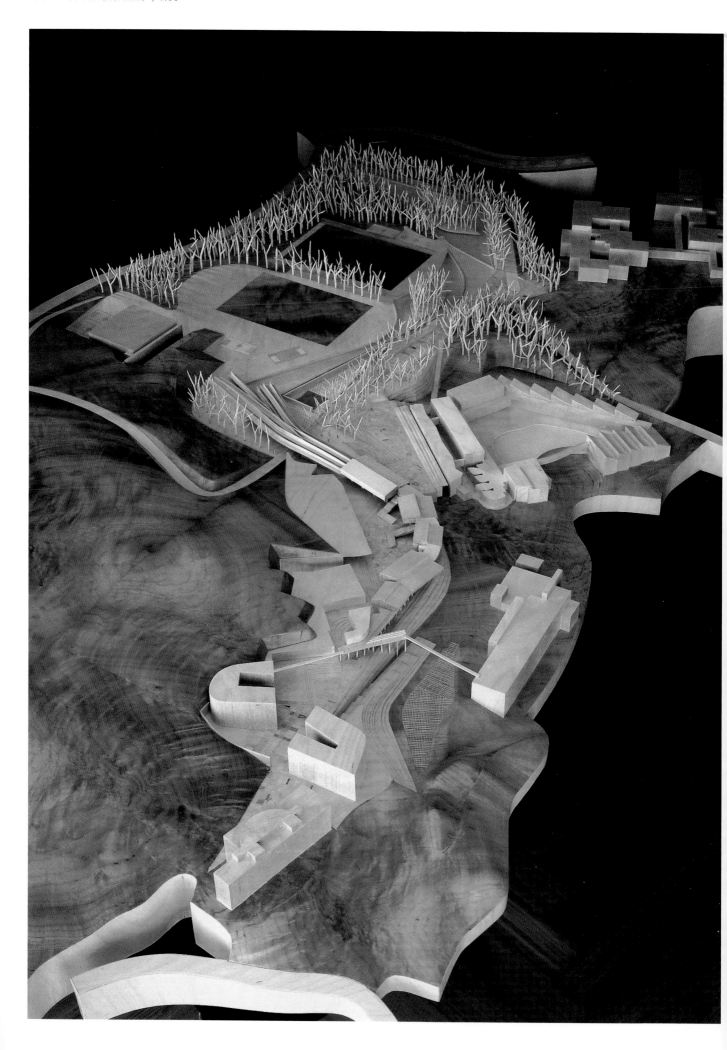

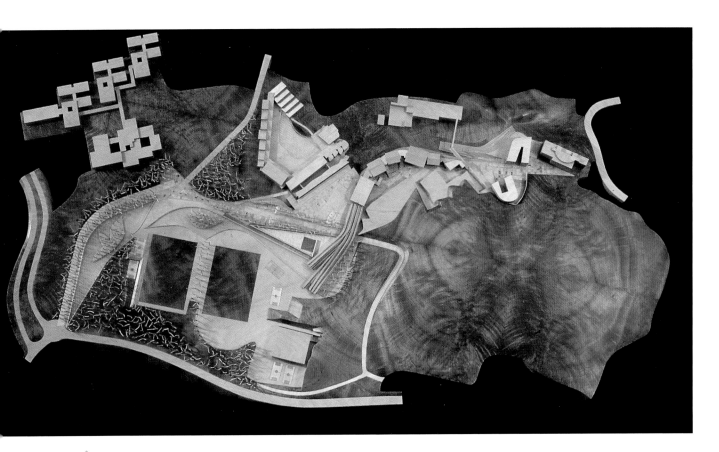

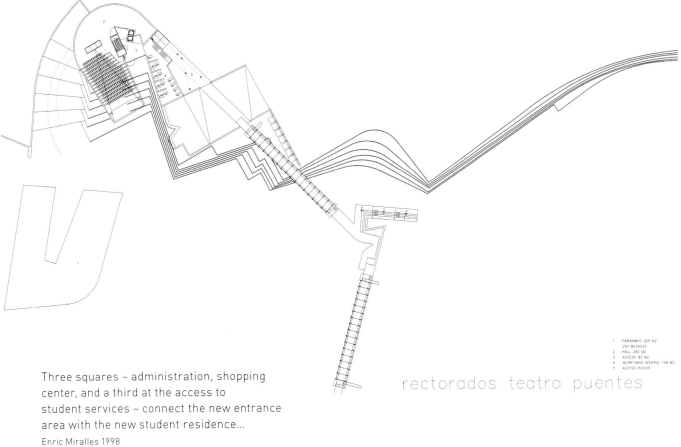

1 PARANINFO 325 M2
   254 BUTACAS
2 HALL 240 M2
3 ACCESO 83 M2
4 SECRETARIA GENERAL 104 M2
5 ACCESO PUENTE

rectorados teatro puentes

Three squares – administration, shopping
center, and a third at the access to
student services – connect the new entrance
area with the new student residence...
Enric Miralles 1998

Tres plazas: la del Rectorado, la de la zona comercial y la de acceso
a los servicios para el alumnado conectan la nueva zona de entrada con
la nueva residencia de estudiantes.

Administration building, theatre and bridge. EMBT Arq. Ass.
Rectorado, teatro y puente. EMBT Arq. Ass.

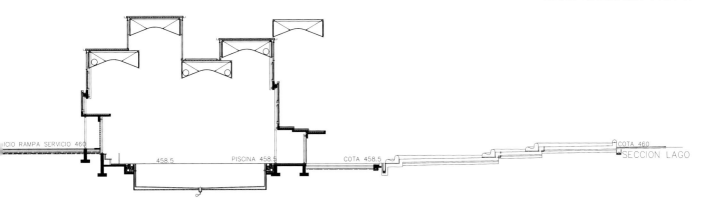

ICIO RAMPA SERVICIO 460   458.5   PISCINA 458.5   COTA 458.5   COTA 460
SECCION LAGO

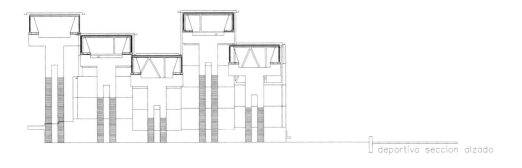

deportivo seccion alzado

Swimming pool Piscina deportiva

The topographical level of the Campus is redefined in an almost horizontal level which will permit the necessary concentration of activities
...This first operation should provide the basis for a decisive regeneration of the natural landscape of the site: Reforestation, construction of paths, covered passages... The treatment of the spaces between the buildings is a very important part of this proposal.

To transform the site into a constructed landscape.

Se redefine la cota del Campus. Un nivel casi horizontal que permitirá la necesaria concentración de las actividades de vida comunitaria y de intercambio.
...De esta primera acción deberá partir la regeneración del paisaje natural de este lugar: reforestación, construcción de senderos, pasos cubiertos... El tratamiento del espacio entre las edificaciones es una parte muy importante de esta propuesta.

Transformar el lugar en un paisaje construido.

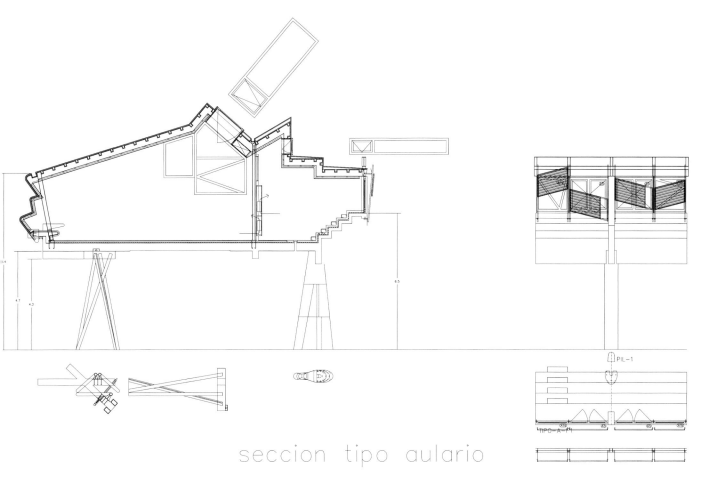

seccion tipo aulario

· Work on classroom building, fitting of first beam, 2002 Obra / Construcción del aulario, colocación de la primera viga, 2002
· Landscape from the classroom building Paisaje desde el aulario

Vistas de la nueva plaza del Campus. Views of the new piazza of the Campus.
El Campus Universitario de Vigo ha ganado el premio FAD especial de Arquitectura 2003.
The Campus of University of Vigo has received the special FAD Prize of Architecture 2003.

Perhaps the difficulty posed by the Parliament project lies in the difference between the site it occupies and the place it represents. The Parliament is in Edinburgh, but it belongs to Scotland, as such it has to be able to represent the country. The project emerges from the mountain: from Arthur's Seat, to get close to it and bring the landscape close to the city, like an extension of the rock. The project is a conglomeration of buildings. Joan Callis, Architect

...Enric Miralles had ideas about how to fit the building into the site which seemed to have a lot in common with our own.
He wasn't trying to make a building that would be a milestone, he wasn't trying to build the tallest high-rise in all of central Scotland as a mark of the importance of the Parliament. He looked at that extraordinary site, sloping up to the Royal Park and then up to Arthur's Seat and Salisbury Crags. He looked at Canongate and the Palace and talked about a building that could grow there, emerge from there, and not having to impose it on the site...
Donald Dewar, Prime Minister for Scotland

* This project won in a competition in partnership with RMJM Scotland Este proyecto se ganó en concurso formando equipo con RMJM Scotland. New Scottish Parliament Nuevo Parlamento de Escocia. Competition by invitation 1998, first prize Concurso por invitación 1998, primer premio. Architects Arquitectos → Enric Miralles Benedetta Tagliabue Arquitectes Associats, RMJM Scotland. Project Head Responsable del proyecto → Joan Callis. Realization Realización → 1999-2004. Location Lugar → Edinburgh, Scotland (UK) Edimburgo, Escocia (UK). Client Cliente → The Scottish Office. Collaborators Colaboradores → RMJM Scotland LTD (Construction Construcción); M.A.H. Duncan, T.B. Stewart, S. Fischer, Ove Arup & Partners, London Londres (Structure Estructura).

The Parliament sits in the land
...Scotland is a land... not a series of cities.
The Parliament is a shape in people's mind.
It is a place in mind. Enric Miralles

EMBT PARLIAMENT BUILDING*
EDINBURGH 1998-2004

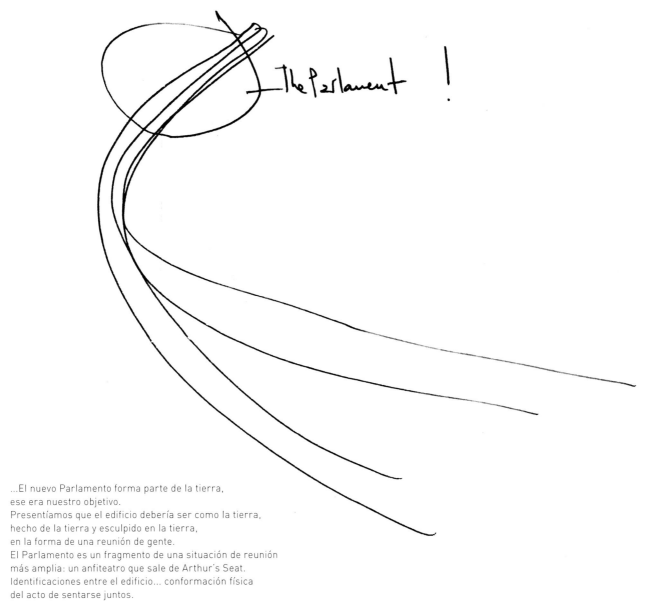

...El nuevo Parlamento forma parte de la tierra,
ese era nuestro objetivo.
Presentíamos que el edificio debería ser como la tierra,
hecho de la tierra y esculpido en la tierra,
en la forma de una reunión de gente.
El Parlamento es un fragmento de una situación de reunión
más amplia: un anfiteatro que sale de Arthur's Seat.
Identificaciones entre el edificio... conformación física
del acto de sentarse juntos.

...The new Parliament sits in the land
this was our goal.
We had the feeling that the building should be like the land,
built out of land and carved in the land,
In the form of people gathering.
The Parliament is a fragment of a large gathering situation:
an amphitheatre, coming out from Arthur's Seat.
Identifications between the building... physically shaping
the act of sitting together.

Sketch Enric Miralles, 1998 Croquis de Enric Miralles, 1998
← Exhibition Mies Van der Rohe pavilion, Barcelona 2001 Model of the Scottish Parliament Building, Edinburgh
Exposición en el Pabellón Mies van der Rohe, Barcelona, 2001. Maqueta general del Parlamento

Aerial photo Edinburgh Foto aérea de Edimburgo

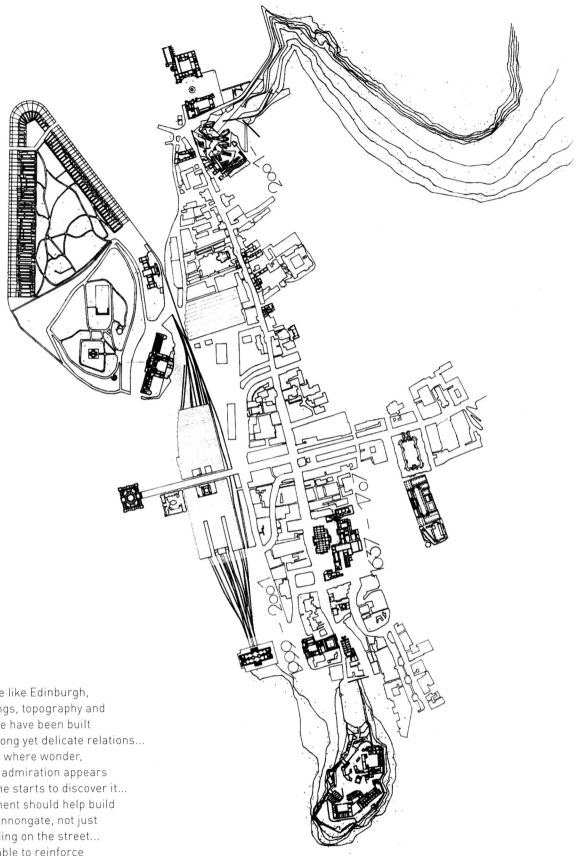

Few cities are like Edinburgh,
where buildings, topography and
infrastructure have been built
with such strong yet delicate relations...
...it is a place where wonder,
surprise and admiration appears
as soon as one starts to discover it...
...the Parliament should help build
the end of Cannongate, not just
another building on the street...
it should be able to reinforce
the existing qualities of the site and
its surroundings.

In a subtle game of cross views
and political implications...

Pocas ciudades son como Edimburgo, donde los edificios, la topografía
y la infraestructura han sido construidos a base de unas relaciones tan fuertes
y, sin embargo, tan delicadas...
...es un lugar donde el prodigio, la sorpresa y la admiración aparecen
tan pronto como uno empieza a descubrirlo...
...el Parlamento debería contribuir a construir el extremo de Cannongate,
no debería ser un edificio más de los de la calle...
Debería poder reforzar las cualidades que el lugar y sus alrededores ya poseen.

En un juego sutil de vistas cruzadas e implicaciones políticas...

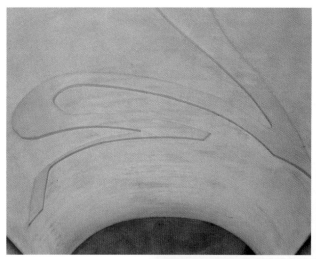

Windows and earth. The Parlament under construction, 2001
Ventanas y tierra. El Parlamento en construcción, 2001

Very schematic the buildg is organize in ~~text~~ a series of independe buildgs

Queensbery hone.
Queensberry House

garden
jardín

Main chamber
cámara principal

MSP.
MSP

Minister
Clerks
Meetg.
ministros,
oficinista
y salas de reunión

Public Space
espacio público
~~gardens~~
land.
territorio

This was also the diagram
presented at the competition . . .

But if you look carefuly to

plans, you will see how entries had become precise.

Queenshory hone : has been Restore to its original condition
And it will the place to enter the Parliament complex
~~entrance~~ for staff.

Along Canongate a new
wall will continue the street until Girth Cross . . .

Very schematically the building is a series of independent buildings... / This was also the diagram presented at the competition... / But if you look carefully at plans, you will see how entrances had become precise. / Queensberry House: has been restored to its original condition and it will serve as the staff entrance to the Parliament complex for staff. / Along Canongate a new wall will continue the street until Girth Cross...

Muy esquemáticamente, el edificio está organizado en una serie de construcciones independientes... / Éste fue también el diagrama presentado al concurso... / Pero si observas atentamente los planos, verás como las entradas se han hecho precisas... / Queensberry House ha sido restaurada de acuerdo con su estado original y será el lugar por el que el personal entrará en el complejo del Parlamento. / A lo largo de Cannongate, una nueva pared prolongará la calle hasta Girth Cross...

The Parliament while under construction. Aerial photo 2001. El Parlamento en construcción. Foto aérea 2001

/COTTI/H PARLIAMENT BUILDING

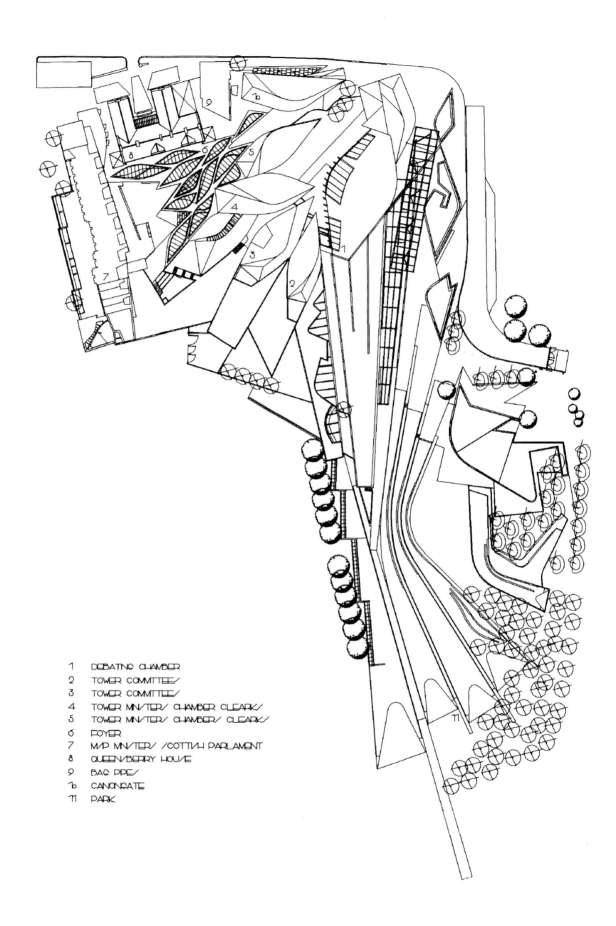

1   DEBATING CHAMBER
2   TOWER COMMITTEE/
3   TOWER COMMITTEE/
4   TOWER MINISTER/ CHAMBER CLEARK/
5   TOWER MINISTER/ CHAMBER/ CLEARK/
6   FOYER
7   MVP MINISTER/ /COTTI/H PARLIAMENT
8   QUEEN/BERRY HOUSE
9   BAG PIPE/
10 CANONGATE
11 PARK

Roof plan. Drawing EMBT Arq. Ass. Planta de la cubierta. Dibujo de EMBT Arq. Ass.
→ Sketch, Enric Mirlles, 1998. Croquis Enric Miralles, 1998

A story definition is needed.

Se necesita la definición de una historia.

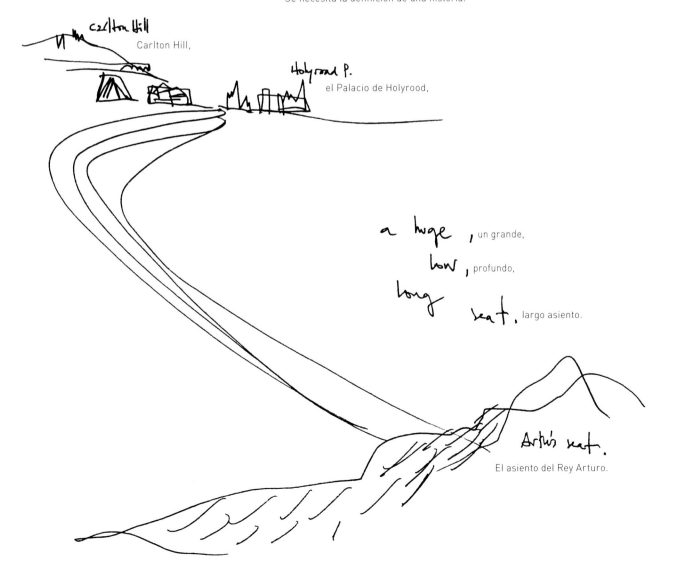

Carlton Hill,
Carlton Hill,

Holyrood P.
el Palacio de Holyrood,

a huge, un grande,
low, profundo,
long seat, largo asiento.

Artur's seat.
El asiento del Rey Arturo.

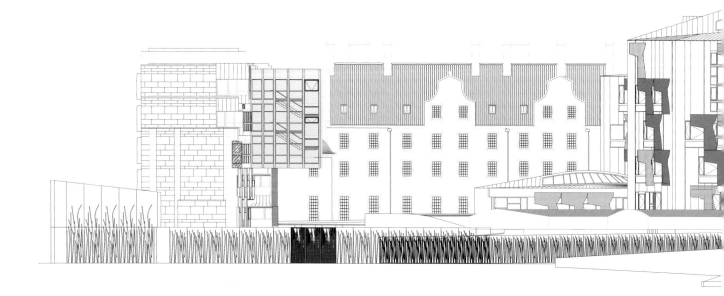

↑ South Elevation. Drawings, EMBT Arq. Ass. Fachada Sur. Dibujos de EMBT Arq. Ass.
The public piazza in front of the Holyrood Palace. La plaza pública delante del Palacio de Holyrood.

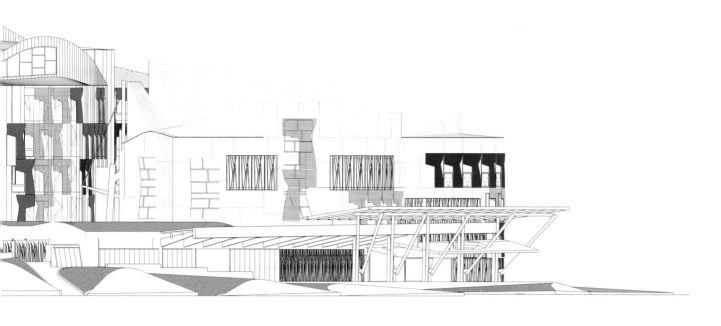

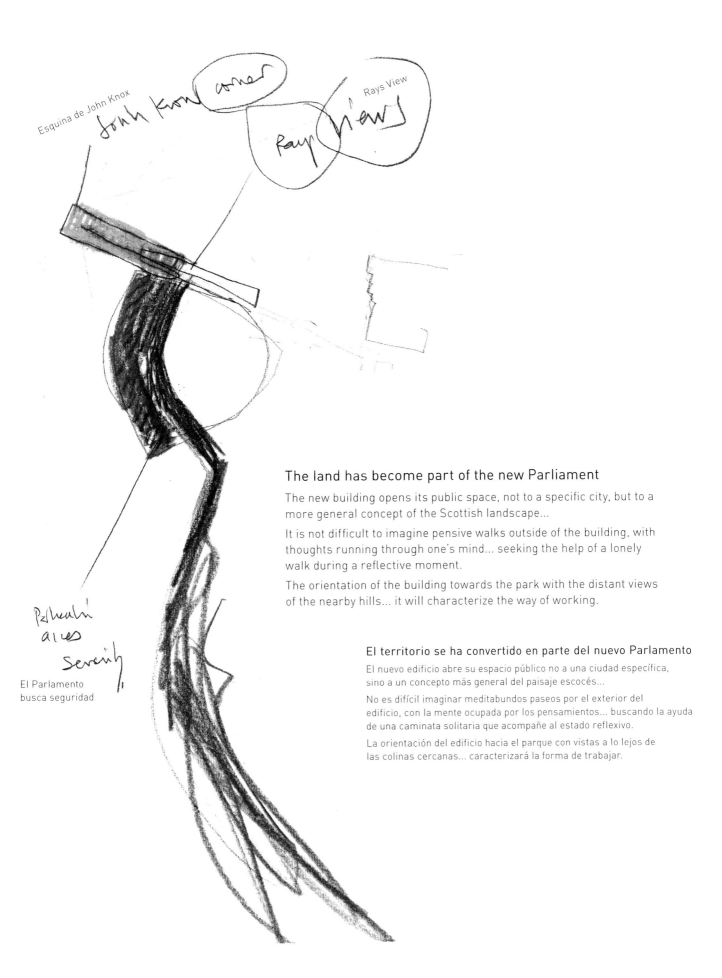

Esquina de John Knox

John Knox corner

Rays View

El Parlamento
busca seguridad

The land has become part of the new Parliament

The new building opens its public space, not to a specific city, but to a
more general concept of the Scottish landscape...

It is not difficult to imagine pensive walks outside of the building, with
thoughts running through one's mind... seeking the help of a lonely
walk during a reflective moment.

The orientation of the building towards the park with the distant views
of the nearby hills... it will characterize the way of working.

El territorio se ha convertido en parte del nuevo Parlamento

El nuevo edificio abre su espacio público no a una ciudad específica,
sino a un concepto más general del paisaje escocés...

No es difícil imaginar meditabundos paseos por el exterior del
edificio, con la mente ocupada por los pensamientos... buscando la ayuda
de una caminata solitaria que acompañe al estado reflexivo.

La orientación del edificio hacia el parque con vistas a lo lejos de
las colinas cercanas... caracterizará la forma de trabajar.

Sketch Enric Miralles, 1998 Croquis, Enric Miralles, 1998
← The Parliament seen from the landscape. Photo model El Parlamento visto desde el paisaje. Foto de la maqueta

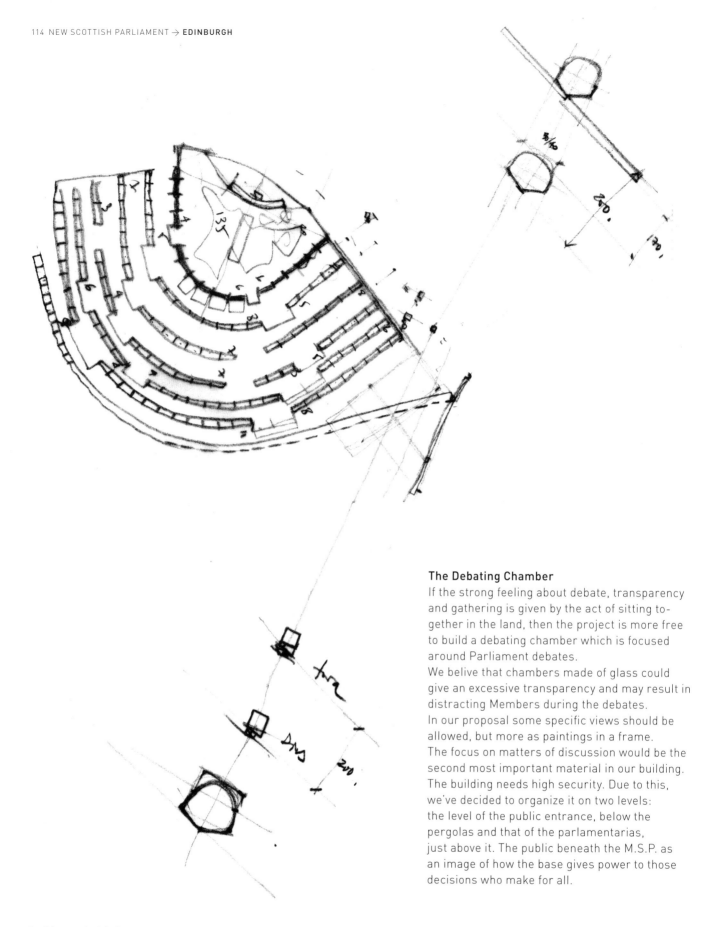

The Debating Chamber

If the strong feeling about debate, transparency and gathering is given by the act of sitting together in the land, then the project is more free to build a debating chamber which is focused around Parliament debates.

We belive that chambers made of glass could give an excessive transparency and may result in distracting Members during the debates.

In our proposal some specific views should be allowed, but more as paintings in a frame.

The focus on matters of discussion would be the second most important material in our building.

The building needs high security. Due to this, we've decided to organize it on two levels: the level of the public entrance, below the pergolas and that of the parlamentarias, just above it. The public beneath the M.S.P. as an image of how the base gives power to those decisions who make for all.

La Cámara de debates

Si el poderoso sentimiento del debate, la transparencia y la reunión, se expresa con el hecho de estar sentados juntos en el territorio, entonces el proyecto tiene mayor libertad para construir una Cámara centrada alrededor de los debates en el Parlamento. / Creemos que unas cámaras hechas de vidrio podrían dar una transparencia excesiva y acabar distrayendo a los miembros durante los debates.

En nuestra propuesta, deberían permitirse determinadas vistas específicas, pero más como pinturas enmarcadas. La concentración en los temas de discusión sería el segundo material más importante en nuestro edificio. El edificio necesita una altísima seguridad. Por eso hemos decidido tener dos niveles: el nivel del público que entra, debajo de las pérgolas, y el de los parlamentarios, justo encima. El público debajo de los parlamentarios: una imagen de cómo la base da fuerza a quien toma decisiones por todos.

← The debating chamber. Sketch Enric Miralles, 1999 Cámara de debates. Croquis d'Enric Miralles, 1999
↑ The Debating Chamber. Interior. La cámara de debates. Interior.

↗ Sketch Enric Miralles, 1998 Croquis, Enric Miralles, 1998
→ The Debating Chamber. Interior. La cámara de debates. Interior.

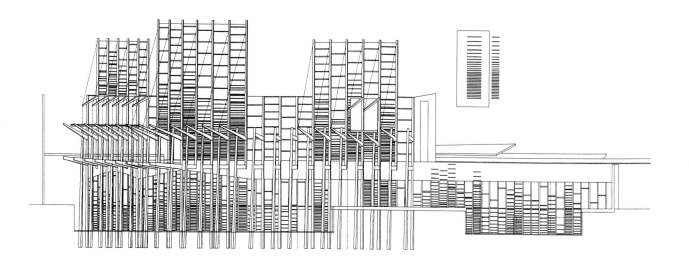

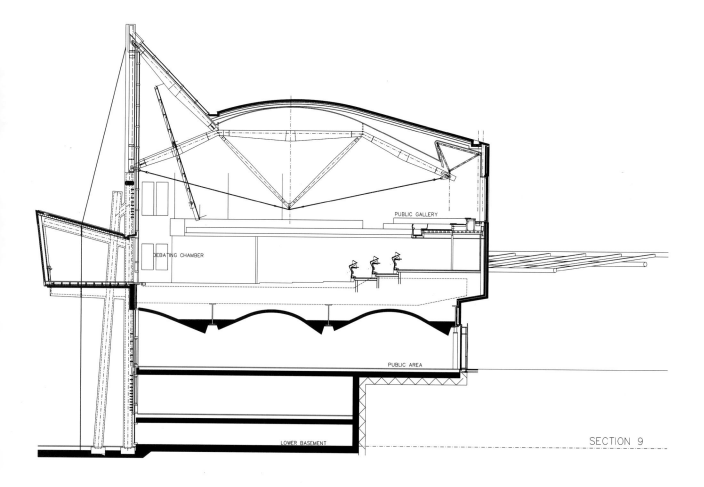

SECTION 9

Debating chamber, west façade. Drawings EMBT Arq. Ass. Cámara de debates, fachada oeste. Dibujos de EMBT Arq. Ass.
Debating chamber, section. Cámara de debates, sección.
→ Masts and towers. Mástiles y torres.

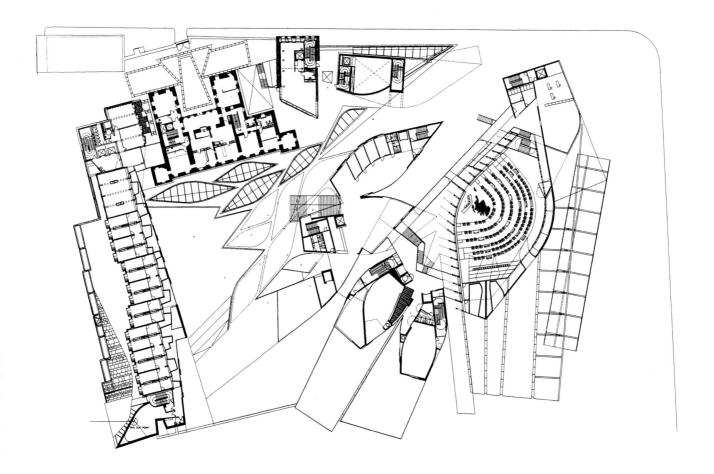

↑ Boat, Barcelona naval museum. Photomontage EMBT Arq. Ass., 1998
Barco. Museo Naval de Barcelona. Fotomontaje EMBT Arq. Ass., 1998
First floor plan Planta del primer piso
→ Model. EMBT, 2000 Maquetal, EMBT. 2000
→ Boat interior Interior del barco

The image that sticks in our minds is that of boats.
Some kind of boat construction should house the main chambers.
Boats are unique stuctures.
Something about their form floating in the landscape should be a part of our project.

La imagen que teníamos en nuestra mente era la de unos barcos.
Algún tipo de construcción en forma de barco debería albergar las salas principales...
Los barcos son estructuras únicas.
Algo que sugiera su forma flotando por el paisaje debería ser parte de nuestro proyecto.

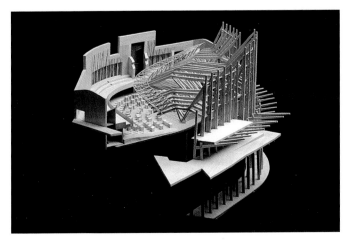

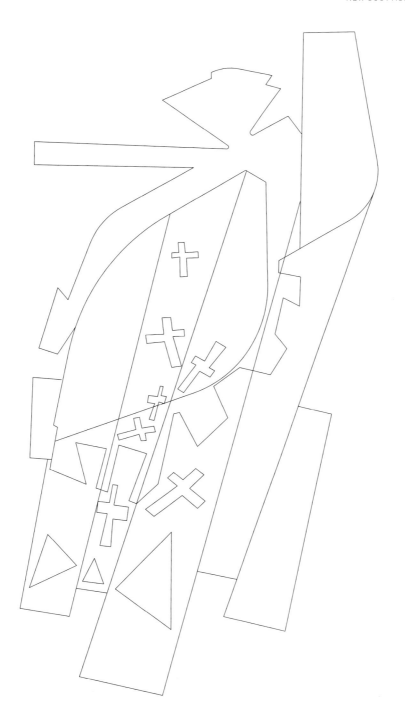

El foyer público no está únicamente en el interior, donde los relieves del techo de bóvedas permiten apreciar la cruz de San Andrés en diferentes escalas...

El foyer público comienza en el exterior, donde el jardín de Holyrood, la plaza y la pérgola invita al público a entrar al edificio.

The public foyer is not only the interior vaulted ceiling, where the precast vaulting system permits one to appreciate Saint Andrew's cross in different scales...

The public foyer starts in the exterior area, where the public Holyrood garden, square and pergola invites the public to enter the building.

↑ EMBT Arq. Ass. Drawing, 1999. The vaulted ceiling with precast of St. Andrew's cross in the public foyer.
Dibujo de EMBT Arq. Ass., 1999. El techo de bóvedas con relieves de la cruz de San Andrés, en el foyer público.

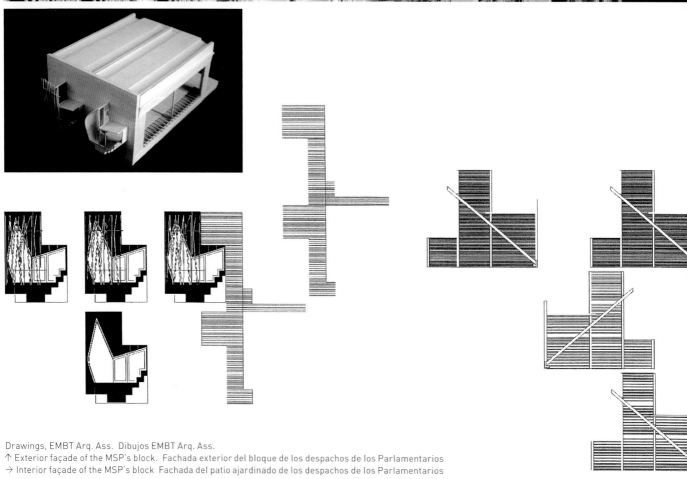

Drawings, EMBT Arq. Ass. Dibujos EMBT Arq. Ass.
↑ Exterior façade of the MSP's block. Fachada exterior del bloque de los despachos de los Parlamentarios
→ Interior façade of the MSP's block Fachada del patio ajardinado de los despachos de los Parlamentarios

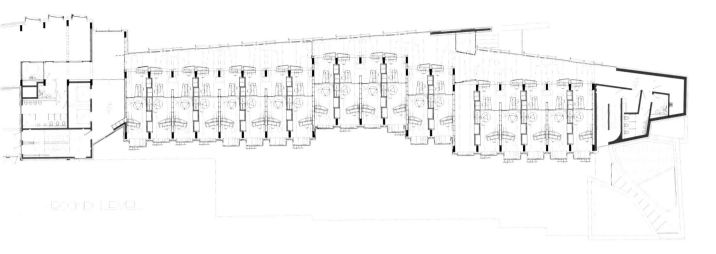

The corridor of the MSP's offices can be seen as a big room, for conversations and comments...

is like a balcony looking over the courtyard.

he depth of the block is similar to that f a deep, enlarged castle wall.

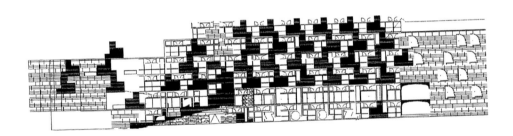

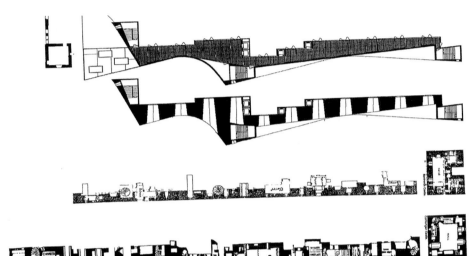

l pasillo de los despachos de los arlamentarios es como una sala alargada, ara conversar y comentar...

s como un balcón que mira el atio ajardinado.

a profundidad del bloque de los despachos s similar a la del grosor del muro de un astillo, ampliado y habitado ...

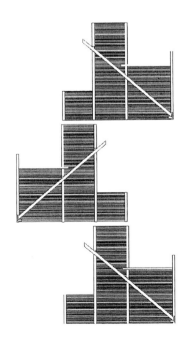

MSP office Despacho de MSP.
Model of MSP, west façade Maqueta de MSP, fachada oeste

22 January / Flight to Frankfurt / In the end, these notebooks are mere travelling companions / Yesterday we had a Project Meeting in Barcelona / We presented the MSP window / It looks all right to me / At the back of the arch / It is the first decision to give the project an identifiable character
22 enero / Vuelo a Frankfurt / Al final estas libretas sólo son un acompañamiento en los viajes / Ayer tuvimos Project Meeting en Barcelona / Presentamos la ventana MSP / Creo que no está mal / Al fondo de la vuelta / Quizás la primera decisión que da al proyecto un carácter identificable

The façade of the MSP building. At a glance, you get a unique
view of the composition of the Parliament with its human components.

La fachada del edificio MSP. Con una ojeada se puede captar una vista única
de la composición del Parlamento, con sus componentes humanos.

← Bay window MSP building Bay window, edificio MSP.
↑ Bay window MSP building, photo interior Bay window, edificio MSP, foto interior.

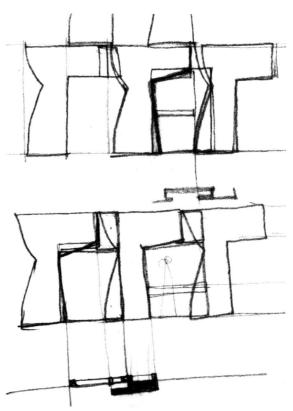

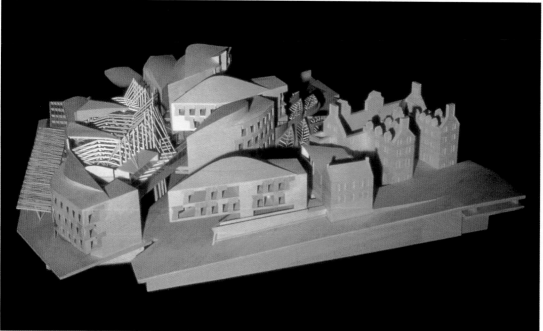

The reverend Dr. Robert Walker, as he is portrated in the painting by Sir Henry Raeburn, has accompained us throughout the elaboration of the parliament project.

The silhouette of the stones cladding the facade transform the shape of the windows.
We would love this profile to evocate the reverend Walker.
We admire his elegant equilibrium.

El reverendo Dr. Robert Walker, tal como está pintado en el cuadro de Sir Henry Raeburn, nos ha acompañado durante la elaboración del proyecto del Parlamento...

La silueta de las piedras que visten la fachada cambia las formas de las ventanas.
Nos encantaría que este perfil evocara al reverendo Walker.
Admiramos su elegante equilibrio.

↖ *Revd Dr. Robert Walker skating on Duddingston Loch*, de Sir Henry Raeburn, National Gallery of Scotland, 1795.

↖ Sketch Enric Miralles, façade panels, 1999 Paneles de las fachadas. Croquis d'Enric Miralles, 1999

← General model EMBT Arq. Ass. Maqueta general EMBT Arq. Ass.

↑ Fachada exterior del edificio. External façade of the Parliament Building.

Fachadas interiores del edificio. Internal façade of the Parliament Building.

Canongate building. Edificio Canongate
↗ MSP's entry. Entrada de los parlamentarios

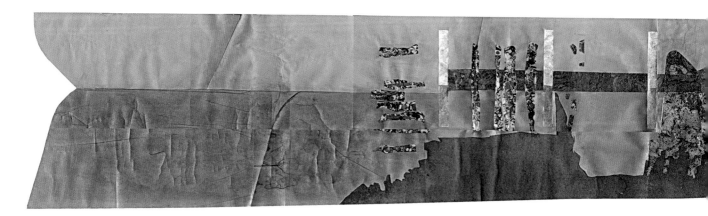

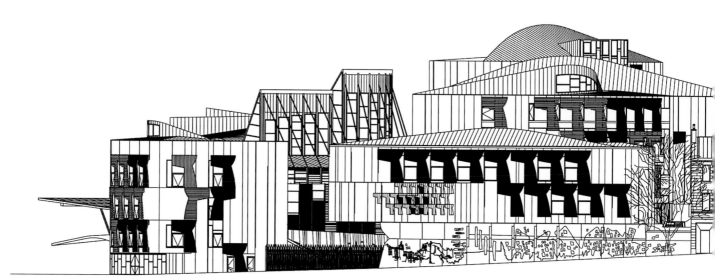

north elevation

The Canongate wall

The Canongate wall should be seen at eye level, in an attempt to make you feel the thickness of the wall along the Royal Mile.
The formal entry to the Parliament will take you into the depths of this wall.

It is the Royal Mile as represented by this wall that will lend the building its monumental quality.
Different events throughout the course of time could be represented there.
This wall will be the ultimate piece of Canongate.

Enric Miralles 1998

El muro de Canongate

La pared de Canongate quedaría a la altura
de la vista, en un intento de hacerte sentir el grosor
del muro a lo largo de la Royal Mile.
La entrada oficial al Parlamento te lleva hacia
las mismas entradas de este muro.

Es la Royal Mile, según la representa esta pared,
lo que dotará al edificio de un aspecto monumental.
Aquí se podrían representar diferentes
acontecimientos sucedidos a lo largo de los tiempos.
Esta pared será la pieza definitiva de Canongate.

↑ Canongate wall. Collage Soraya Smithson, 2002 El muro de Canongate, 2002
North elevation. Drawing EMBT Arq. Ass Alzado norte. Dibujo a mano de EMBT Arq. Ass.
→ "Scottish landscape". Sketch and photo by Enric Miralles, august 1998
"Scottish landscape". Croquis y foto de Enric Miralles, agosto 1998

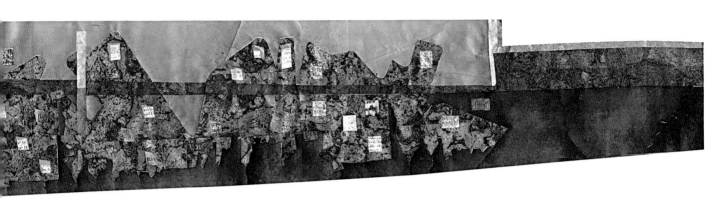

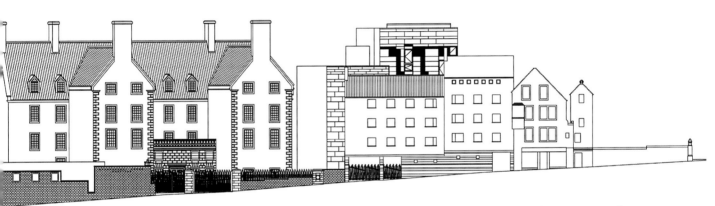

The Canongate wall, as it is now, is a narrative piece
of architecture. Fragments of scottish stones, literature,
earth and city profiles mingle in a composition fron
the hand of the artist Soraya Smithson together with EMBT.
Benedetta Tagliabue 2004

El muro del Canongate como está ahora es una pieza
arquitectónica narrativa. Aquí se mezclan fragmentos
de Escocia: piedras, literatura, perfiles de tierras
y ciudades compuestas por la mano de la artista Soraya
Smithson con EMBT.

This wall, which introduces the new Parliament building from the Royal Mile should have a sense of ¨necessity¨. People should be able to approach it and reflect there, searching for something here, which belongs to them.

Este muro, que introduce el edificio
del Parlamento desde la Royal Mile,
tendría que tener un sentido de ¨necesidad¨.
La gente puede acercarse y reflejarse en él,
buscando aquí algo que le pertenece...

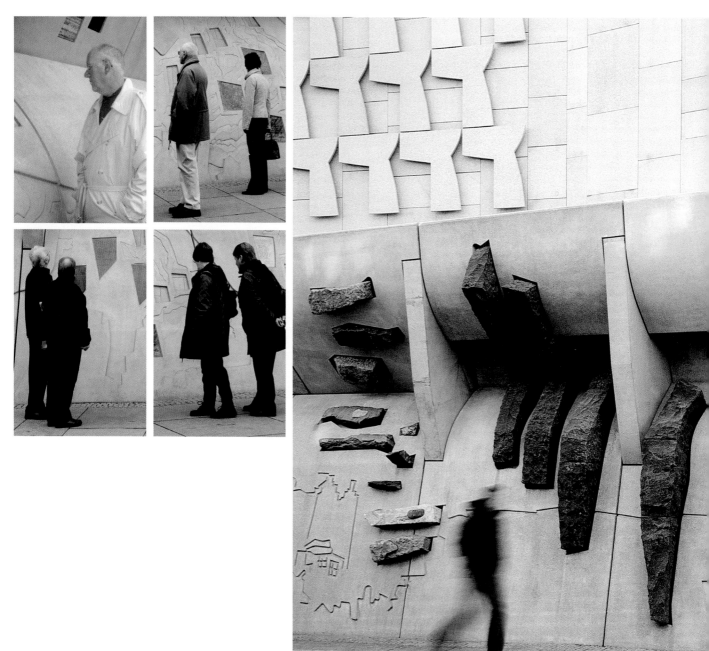

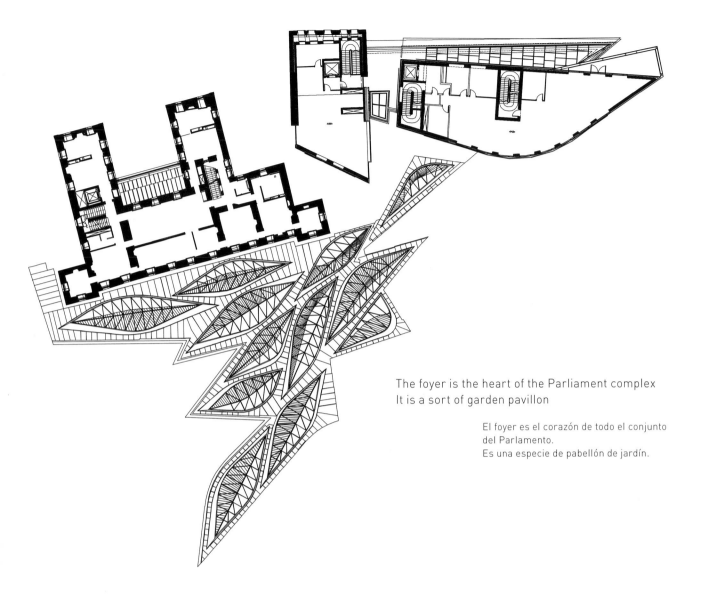

The foyer is the heart of the Parliament complex
It is a sort of garden pavillon

El foyer es el corazón de todo el conjunto
del Parlamento.
Es una especie de pabellón de jardín.

Foyer skylight under construction Lucernario del foyer en construcción
↖ Foyer plan. Drawing EMBT Arq. Ass. Planta foyer. Dibujo de EMBT Arq. Ass.
← Foyer model EMBT Arq. Ass., 2001 Maqueta foyer EMBT Arq. Ass., 2001

The garden foyer - interior and exterior.
El foyer del jardín – interior y exterior.

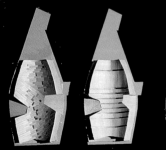

Committee room ceilings, study models
Techos sala de reunión , maquetas de estudio

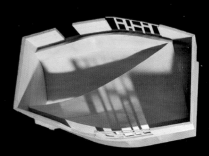

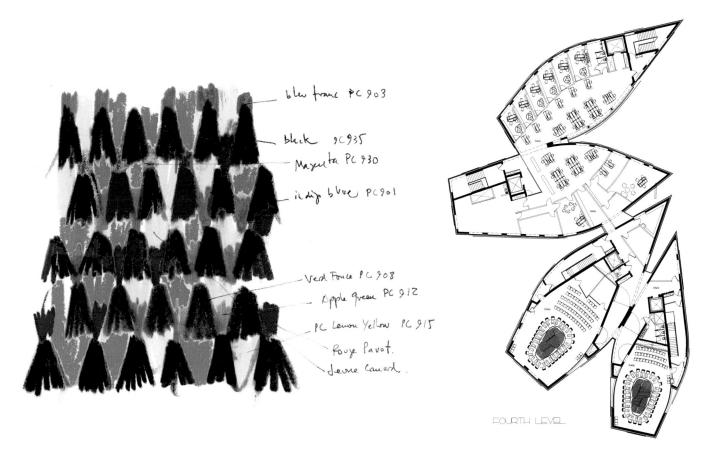

blu franc PC 903

black PC 935

Magenta PC 930

ildig blue PC 901

Vert Fonce PC 908

Apple green PC 912

PC Lemon Yellow PC 915

Rouge Pavot.

Jeune Canard.

FOURTH LEVEL

↑ Sketch of the carpet. Enric Miralles.
Croquis de la moqueta. Enric Miralles.
↗ Committee room floor, fourth level. Drawings, EMBT Arch. Ass.
Planta de las salas de comité, nivel cuatro. Dibujos EMBT Arq. Ass.

3-07-2002 / 24-9-2002 Exhibition of the most recent works by the studio EMBT Arquitectes Associats with the screening of the film "Estat de les obres juliol 2002" by the Taller Bigas Luna Exposició dels últims treballs de l'estudi EMBT Arquitectes Associats amb la projecció de la pel·lícula realitzada pel Taller Bigas Luna. Curators Comissaris → Carles Llop, Benedetta Tagliabue, EMBT Arq. Ass. Coordination Coordinació → EMBT Arquitectes Associats. Isabel Zaragoza Exhibition Design Disseny Exposició → Benedetta Tagliabue, Fabián Asunción, Elena Rocchi... EMBT Arquitectes Associats. Sponsors Patrocinadors → Ministerio de Fomento, Col·legi d'Arquitectes de Catalunya, Ajuntament de Barcelona, Enric Miralles Benedetta Tagliabue, EMBT Arquitectes Associats.

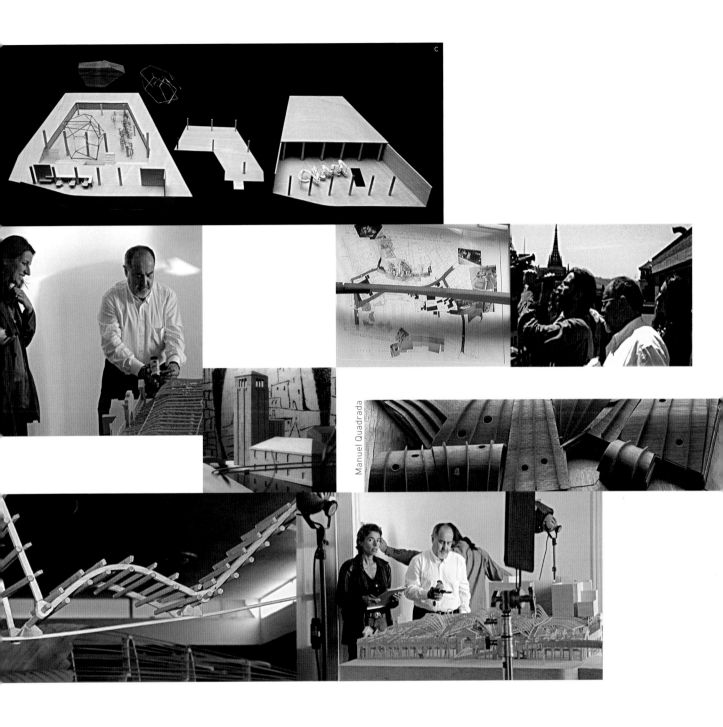

Manuel Quadrada

EMBT EXPOSICIÓ SEQÜÈNCIES COAC
BARCELONA 3-07-2002

Posthumous awarding of the gold medal of the Architect´s
Association of Catalonia to Enric Miralles.
Lliurament a títol pòstum de la medalla d'or del Col·legi
d'Arquitectes de Catalunya a Enric Miralles

Making of the documentary "Work in progress"
with Bigas Luna and exhibition at COAC.
Producció del documental "Estat de les obres"
amb Bigas Luna i exposició al COAC.

3 July 2002 That day we turned the anniversary of his death into a party...
Enric, his name, his signature crystallized large in iron and wood, had left home and the studio.
He hadn't gone far at all, only to the square in front of the cathedral, to the Architects' Association building.
His name and surname, now a physical object, sustained the physical work of his studio before and after
his death, everything scattered randomly about in an indistinguishable process: models and drawings,
hung and supported, before, after, now...everything was here today... mingling with the people watching or
walking by unaware of the exhibition at the square in front of the cathedral...
Benedetta Tagliabue 2002

El 3 de juliol de 2002. Aquell dia vam transformar l'aniversari de la seva mort en una festa...
El nom d'Enric, la seva signatura cristal·litzada en grans dimensions de ferro i fusta, havia sortit de casa
i de l'estudi. Havia anat molt a prop, al costat de la plaça de la Catedral, a la seu del Col·legi d'Arquitectes
de Catalunya. Els seus nom i cognoms fets objecte físic sostenien el treball físic del seu estudi d'abans
i després de la seva mort, tot barrejat en un procés indistingible: maquetes i dibuixos, penjats o recolzats,
abans, després, ara... avui era tot aquí... barrejat amb la gent que observava, o que passejava inconscient
de l'exposició per la plaça de la catedral...

Awarding of the medal to Benedetta Tagliabue by the dean of COAC. Speeches by Peter Smithson, Oriol Bohigas and Bigas Luna
Acte de lliurament de la medalla a Benedetta Tagliabue de part del degà del COAC. Intervencions de Peter Smithson, Oriol Bohigas i Bigas Luna

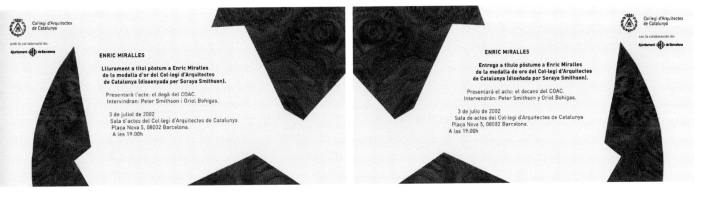

Invitation to the awarding of gold medal to Enric Miralles, 3 July 2002. The gold metal and the invitation card are a work of the artist Soraya Smithson
Targeta invitació al lliurament de la medalla d'or a Enric Miralles, 3 de juliol 2002. La medalla d'or i el targetó han estat dissenyats per l'artista Soraya Smithson

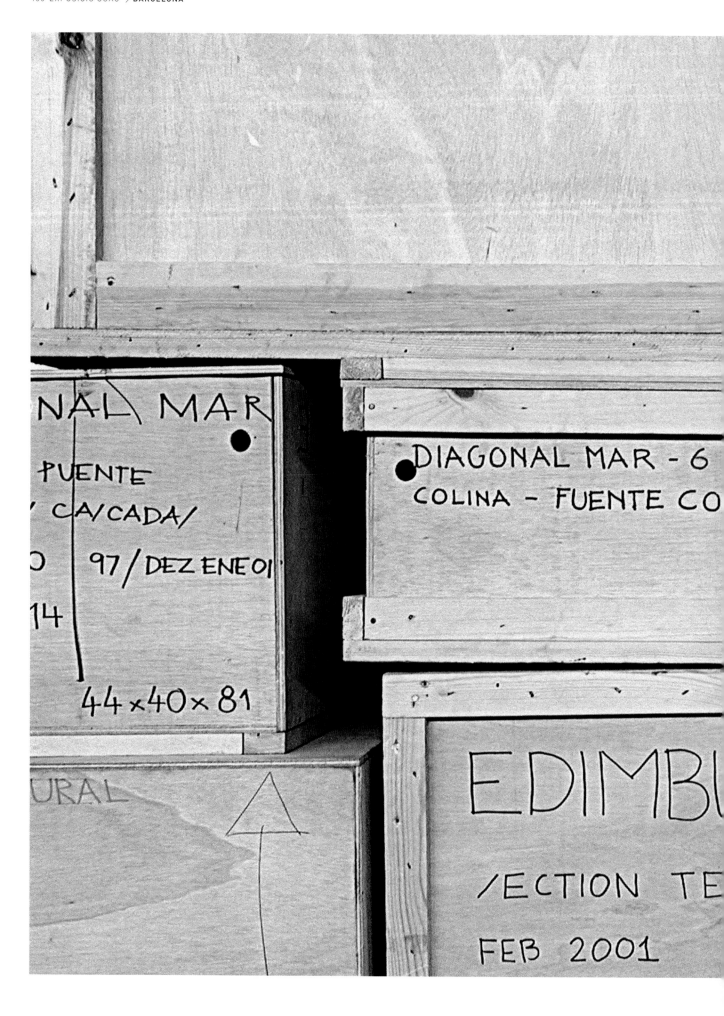

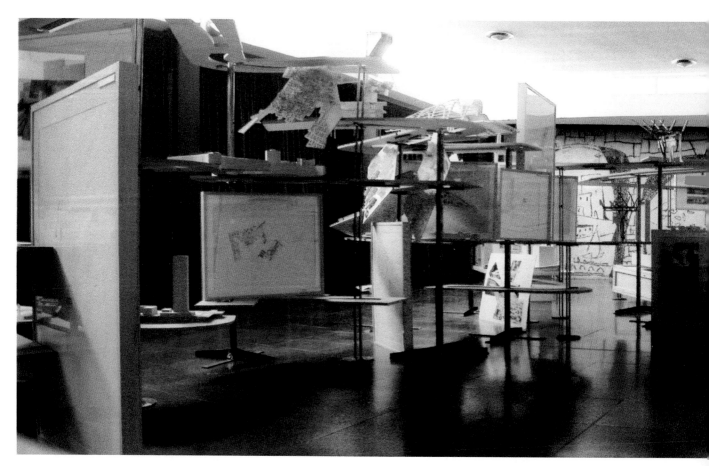

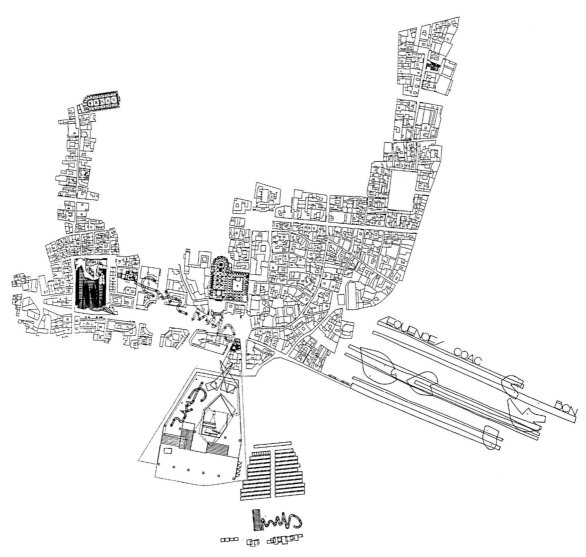

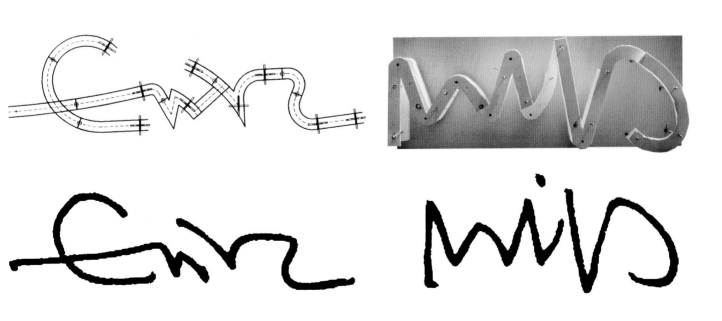

Exhibition Seqüències, COAC 2002, Barcelona.
↑ First floor, structure with models and boxes Primera planta, estructura amb maquetes i caixes
Drawing and model of exhibition structure. Dibuix i maqueta estructura exposició
← Drawing montage EMBT Arq. Ass. Dibuix muntatge d´EMBT Arq. Ass.

One of the things that have impressed me about
Benedetta's studio is the way they work.
The studio is full of life, the hands, the models...
The Sta. Caterina market is a work of very
special significance for Benedetta, firmly bound
to her life...
Benedetta's relationship with the people she
works with is always part of a process in which
humanity and talent always go hand-in-hand
and never separate. Bigas Luna

Refurbishment of the Santa Caterina market Rehabilitació del Mercat de Santa Caterina. Competition 1997 first prize Concurs 1997. Primer premi.
Premi Nacional de Catalunya 2002. Architects Arquitectes→ Enric Miralles Benedetta Tagliabue, Arquitectes Associats. Project Head Responsable del
projecte → Igor Peraza. Realization Realització → 1998 - 2004 Location Lloc → Barcelona, Spain. Client: City of Barcelona Ajuntament de Barcelona.
Collaborators Col·laboradors → Europroject; Antonio Brufao (Technical project Projecte tècnic).

The Santa Caterina market was a
convent, a space where the sky
opened. Truly, if you go to this large
esplanade, you realize the scale
of it in relation to the rest of the city
and, where the market stands,
the expanse of sky is enormous,
then, you can almost sketch what
happens to the space in the old city, looking to the sky, looking upwards.
A market is a square, in Catalan it's also called *la plaça*, and for us it
was important to conserve this idea of transparency, of a place you pass
through... In other words an open space for trade and which, by night, when
the trade has disappeared, is a square, a public place. Benedetta Tagliabue

EMBT MERCAT SANTA CATERINA
BARCELONA 1997 - 2004

L'esponjament

ENRIC MIRALLES

Esponjós és un qualificatiu que ens porta el record d'una massa sortida del forn, d'un menjar delicat... La millor pastisseria: el diumenge. És difícil trasllidar aquesta paraula a la ciutat. Què vol dir aquest terme? No crec que tingui res a veure amb l'origen marítim de l'esponja. És una paraula estranya: les ciutats no absorbeixen l'aigua, ni augmenten o disminueixen de volum de manera elàstica.

Ni tampoc crec que es pugui trobar una relació a través de l'origen marítim d'aquest objecte i la proximitat al mar d'aquest tros de ciutat... Si amb aquest terme es refereixen a la multitud de cel.les interiors, als forats... també podríem parlar de *gruyerització* o *d'emmentalització*, encara que l'olor i la tradicional atracció que vers aquests formatges senten els ratolins hagin aconsellat de no usar aquesta imatge per provar d'aclarir el concepte que el pla vol explicar.

Les paraules, com els plans d'ordenació, canvien les coses. A través d'ells es fa difícil veure la realitat, la complexa realitat que s'hi amaga al darrera.

En aquest barri de la ciutat no és possible cap generalització. Com tots els instruments que actuen sobre la realitat, el pla està molt lligat a uns anys i unes idees molt concretes. I després d'un lapse de temps breu, en veure els primers resultats ens adonem que el pla és una brutal simplificació respecte a la complexitat real.

No es pot parlar demagògicament de la bondat d'una política d'enderrocs sense fer referència a la continuïtat històrica d'aquesta idea... quan s'ha canviat totalment la manera d'entendre la ciutat. Comuni-cació a través del Cinturó del Litoral, major densitat de transport públic, densitat i diversitat d'activitats, renovat interès per descobrir un lloc on viure i treballar. Ens trobem el 1995 portant endavant els enderrocs que va engegar el Pla Cerdà a finals del vuit-cents o defensant las vagues idees higienistes dels anys trenta. Tot plegat barrejat amb una encara més confusa idea de quina és l'arquitectura que s'ha de construir al lloc de l'enderrocada.

Per això, en lloc de parlar dels problemes concrets es parla d'"esponjament", "regulari-tat", etcètera, tot presentat amb uns cartells que apareixen a la ciutat col.locats als mateixos llocs que els anuncis publicitaris. Sempre són visions perspectives a vol d'ocell, que representen aquest tros de ciutat sense acostar-se a terra.

Si ho féssim, si el punt de vista fos el del vianant, es veurien totes les plantes baixes preparades per ésser un possible *continum* comercial que en el seu moment pot ser més gran que els mer-cats, com el de Santa Caterina.

I veuríem com sobre la ciutat pesa un absurd desig de separar els usos: ara sembla que per divertir-se no es pugui sinó anar al Maremàg-num, on trobem aquesta absurda densitat de bars, uns damunt dels altres.

Aquests pósters *informatius* (una altra paraula difícil i peri-llosa) són dibuixos de colors alegres, nets... Ens mostren una ciutat semblant a uns dibuixos animats japonesos. Semblen fets perquè els ciutadans que "baixen" (també hauríem de parlar d'aquesta parau-la) el diumenge per les Rambles cap al port puguin dir: "Veus, finalment tot això s'arregla".

Però els que viuen aquí només miren espantats, buscant si casa seva està en un d'aqusts forats.

Tot sembla la plaça Reial... Només és distingeix la silueta de Santa Maria, o la de la catedral...

—"Com és possible?", "tot això desapareix...

—"Això és el parc de la Ciutadella".

—"No ho sé, no s'entén res".

Un cop més, tot se simplifica enganyosament.

I després es proposa una arquitectura que és una mímica ridícula dels estils històrics. Com si les proporcions d'unes finestres més el terror dels projectistes per l'irregular —el text del pla parla amb horror de tot el que no és recte— poguessin amagar uns tipus edificatoris que provenen del pitjor estil comercial dels models especulatius que han construït la perifèria.

Aquests *pijitos* que no entenen la lògica complexa de la superposició dels diferents moments històrics i la superposició de les diferents maneres de viure... Que no entenen que viure en aquest barri és el plaer de descobrir el que ja ha estat usat... És com un abric de se-gona mà que a poc a poc s'a-motlla al nou usuari.

Són vergonyoses aquestes cases que ni tan sols resolen bé les cuines. Ciutat Vella (d'aquest terme si que en parlarem) no podrà mai ser rendible sota aquests estàndards.

Aquest tros de ciutat és un lloc d'una realitat complexa on la transformació real no prové d'un mercat immobiliari sinó d'una complexa trama d'iniciatives personals a petita escala. Ciutadans que han descobert que aquest és un magnífic lloc per viure i treballar. Aquestes iniciatives particulars haurien de ser àgilment ajudades. A la ciutat, al pla, li queda la responsabilitat de no enderrocar, de no fer desaparèixer res que no se senti capaç de substituir amb una riquesa equivalent.

Aquesta suburbialització que ara comença només ha estat possible gràcies a aquest se-guit d'intervencions.

Viure i treballar en aquest carrer ens ha fet entendre que no hi ha diferència entre vell i nou. A obrir els ulls, més enllà de la pobresa que s'amaga en alguns racons, per entendre el significat més literal de l'aplicació de l'esponja a la ciutat. Amb una mica de sabó, l'esponja, o millor l'escombra, és una magnífica eina de neteja. Netejar, descobrir tot allò que existeix sota aquestes superfícies oblidades, en aquest lloc que no sé per què anomenen vell: Ciutat Vella. En altres llocs per referir-se al cor de la ciutat es diu centre monumental, ciutat històrica...

—"D'acord, vella pot ser un terme més humà, més fami-liar... però compte amb les paraules i els plans".

Aquest tros de ciutat ni és vell ni necessita esponjaments.

> *"Ens trobem el 1995 portant endavant els enderrocs que va engegar el Pla Cerdà a finals del vuit-cents"*

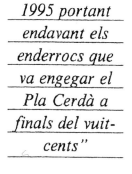

↑ Article by Enric Miralles in the daily EL PAIS. 9-11-1995. Translation on p. 247 Article d'Enric Miralles al diari EL PAÍS. 9 -11-1995
Cerdà's plan / Historical photo / Burning of convents. Barcelona 1858 Pla Cerdà / Foto històrica / La crema de convents. Barcelona 1858

Tot és de la mateixa època, el que s'està fent ara i el que ens hem trobat fet; es tracta de tenir respecte a les persones que van fer la mateixa feina que nosaltres fa cent, dos-cents, mil anys. El respecte al seu treball és respecte al nostre.

Inventar la nova Santa Caterina tot descobrint-la.
L'arqueologia, l'estem fent nosaltres, i canvia amb cada dia d'obra, confonent les restes amb la ciutat; canviant la mida, la dimensió i la importància de les coses mitjançant la visió.
Coses grans o coses petites, depèn del punt de vista.
Baixant a terra, potser també canviarà l'escala de valors.

Everything is from the same period, what's being done now and what we've found is about having respect for the people who did the same job as we do one hundred, two hundred, a thousand years ago.
Respect for their work is respect for ours.

To invent the New Santa Caterina is discovering it.
We're practicing archaeology, and it changes every workday confusing the remains with the city, changing the size, the dimension and the importance of things through vision.
Big things and small things, it depends on the point of view.
Digging down into the earth will perhaps also change the scale of values.
Benedetta Tagliabue 2004.

Archaeological dig. Photomontage, 2001
Excavació arqueològica Fotomuntatge, 2001

↗ Photomontage from above, 2002 Fotomuntatge des de dalt, 2002
→ Photomontage Avinguda Cambó, before the demolition of the old market
Fotomuntatge avinguda Cambó, anterior a la demolició de l'antic mercat

Construcció / Destrucció
Construcció / Destrucció...

L'altra cara de la moneda
d'una mateixa activitat.
Gairebé és impossible
distingir-les l'una de l'altra...
Al bell mig del densíssim
centre de Barcelona,
la demolició ha estat
considerada una activitat de
construcció...
Proporcionar aire i espais
oberts sembla necessari...
Però la demolició s'hauria
de fer al mateix temps
que la reconstrucció...
Ambdues haurien d'anar
sempre juntes.
Demolició/Reconstrucció.
Això, des de la primera
església de Santa Caterina
fins al nou mercat.

Construction / Destruction / Construction / Destruction...

A mirror image of the same activity. It is almost impossible to distinguish between them....
At the very dense centre of Barcelona demolishing has been considered a construction activity...
Providing air and open space seems necessary... But demolishing should be done
together with the rebuilding...
The pair should always act together. Demolishing/ Rebuilding.
That, from the early church of Santa Caterina until the new Market.

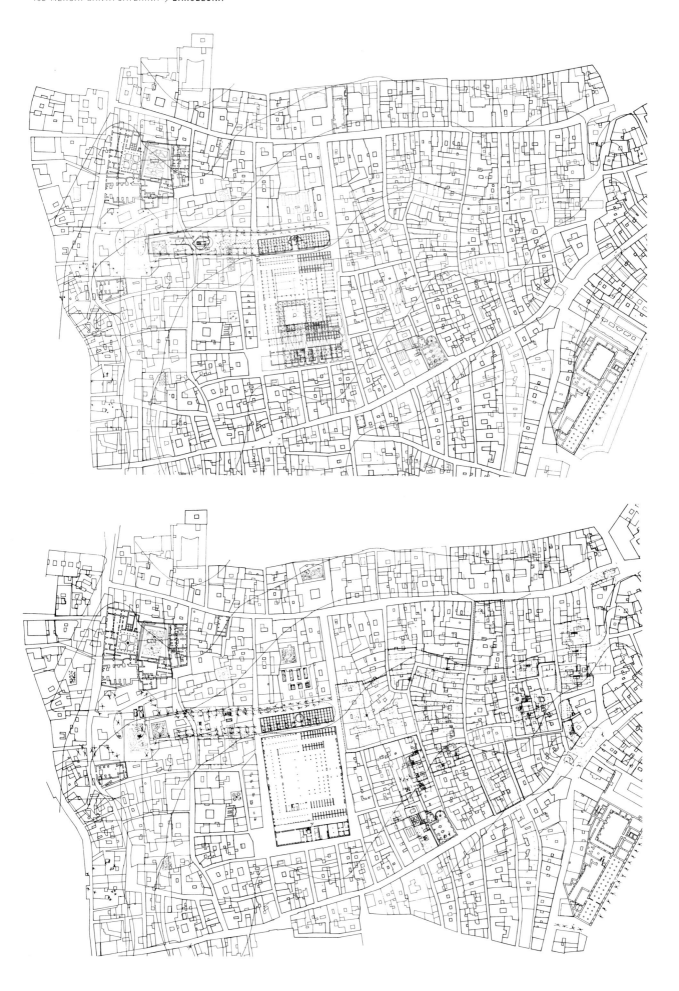

Plans, historical overlay. Drawing EMBT Arq. Ass. Plànols, superposició històrica. Dibuix a mà d'EMBT Arq. Ass.

This site, what we'll call "Plaça de Santa Caterina", would form part of a historic itinerary: parting from the Church of Santa Maria, passing along Carrer Montcada, the Marcus Chapel, Carrer d'en Giralt Pellicer, Market and Plaça de Santa Caterina, and Avinguda Cambó to wind up at the Cathedral.

El lloc, allò que anomenarem "plaça de Santa Caterina", formaria part d'un recorregut històric que, partint de l'església de Santa Maria arribaria a la Catedral, tot passant pel carrer Montcada, la capella d'en Marcús, el carrer Giralt el Pellicer, el mercat i la plaça de Santa Caterina, i l'avinguda Cambó...

The Market is being built over the ruins of the convent. In order to work in a complex historical context like this it would seem necessary to work not only from the present moment, but also to look for possible indications for the future in some moments of the past...

El mercat es construeix sobre les runes de l'antic convent.
Per treballar en un context històric complex com aquest, sembla necessari treballar no només des del moment actual, sinó buscar també en algun moment del passat les indicacions possibles sobre el futur...

Within in a monumental circuit, 2003. Collage EMBT Arq. Ass.
Dins d'un circuit monumental, 2003. Collage d'EMBT Arq. Ass.

The public space enables us to reflect again
on the opening up of Avinguda Cambó...
To think again about the nature of the fabric that
should be imposed on the system of voids
produced by the present demolitions.

L'espai públic ens va permetre reflexionar novament
sobre l'obertura de l'avinguda Cambó...
Tornar a pensar quin teixit caldria inscriure en el
sistema de buits resultat dels enderrocaments actuals.

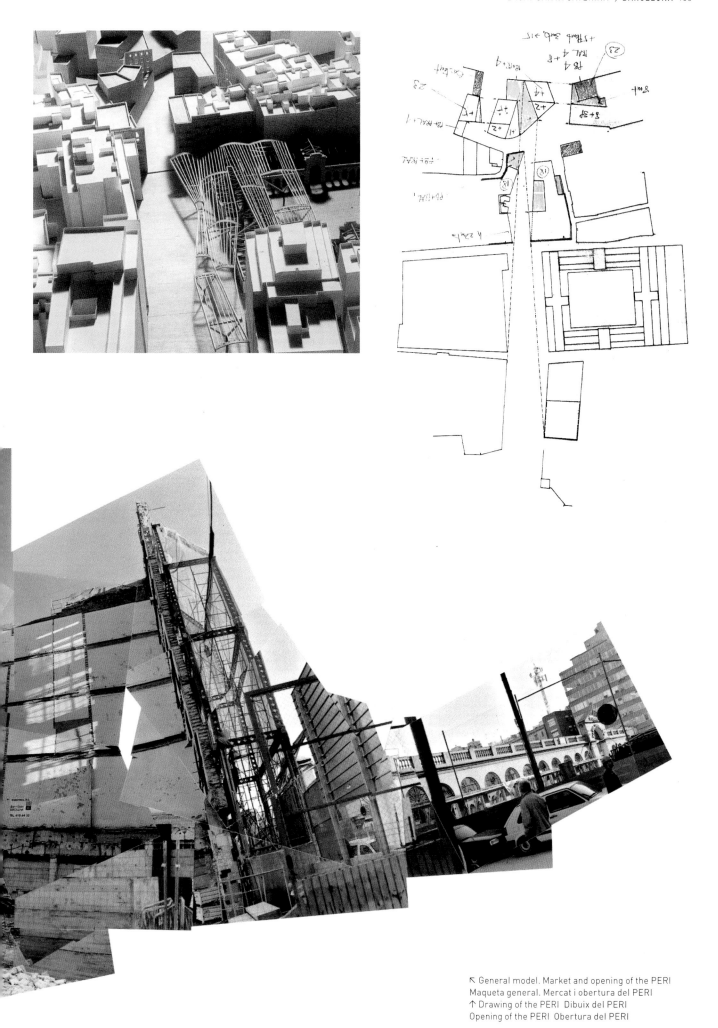

↖ General model. Market and opening of the PERI
Maqueta general. Mercat i obertura del PERI
↑ Drawing of the PERI Dibuix del PERI
Opening of the PERI Obertura del PERI

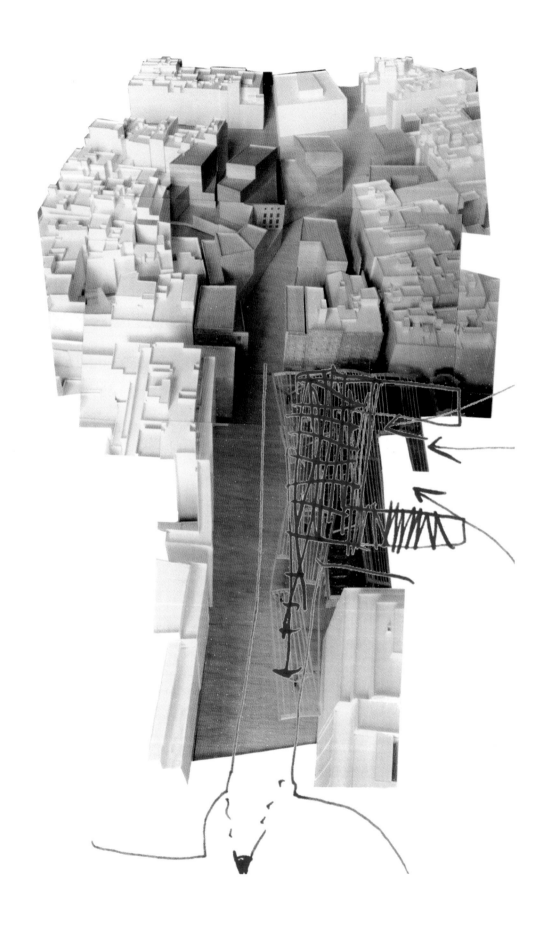

Model of the PERI. Sketch Enric Miralles Maqueta del PERI. Croquis Enric Miralles
↗ General model of the market I of the PERI Maqueta general del mercat I del PERI

We've done a cardboard model of the Santa Caterina neighbourhood as it is now.
The city appears at once brutal and romantic.
Stuffy and cramped yet filled with memories.
The market had to be remodelled in order to revive its surrounding area,
As if it were conducting the flows and movement from Via Layetana towards the interior of the neighbourhood.
The work has consisted in almost inventing a roof that would be able to do all that.

Hem fet una maqueta de cartró que representa el barri de Santa Caterina.
Es veu una ciutat brutal i romàntica alhora.
Amb la manca d'aire i d'espai barrejada amb una part importantíssima de records.
El mercat s'havia de remodelar ell mateix per renovar tota l'àrea al seu voltant.
Gairebé com si captés els fluxos i el moviment des de la Via Laietana fins a l'interior del barri.
La feinada ha estat inventar gairebé una coberta que fos capaç de fer tot això.

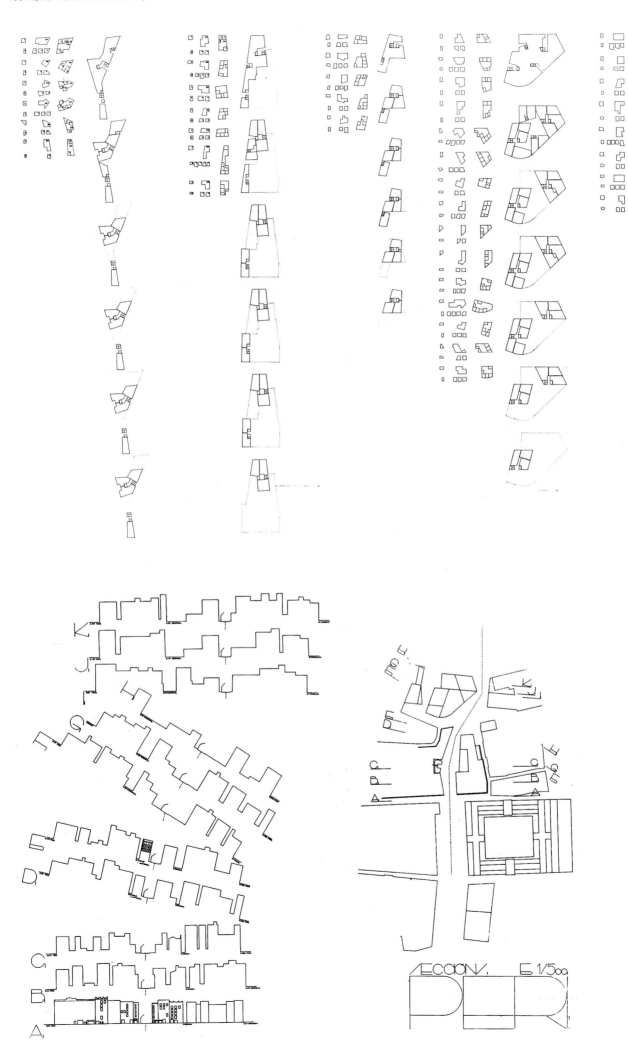

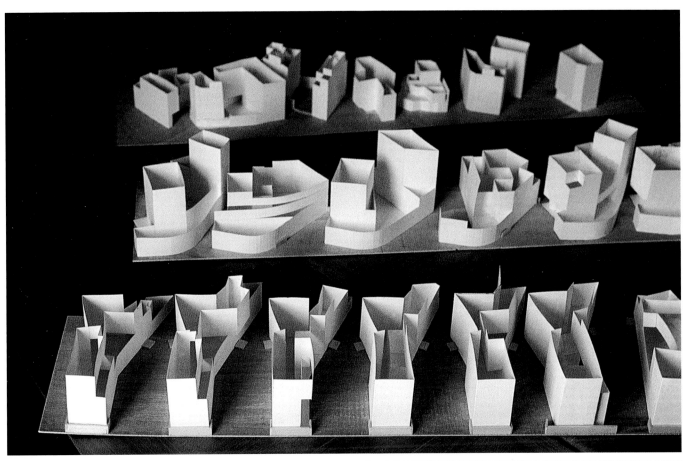

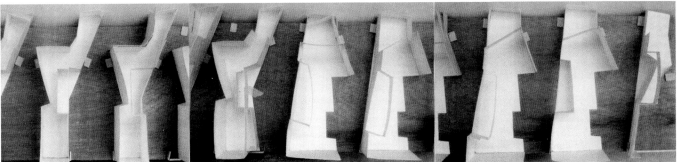

"...Repeating is what I like most. Thousands of attempts prepared.
...Just repeating the form of the "block", changing a little its volume.
...Finally it stops at a position."...

"...El que més m'agrada és repetir. Milions d'intents preparats.
...Només repetir la forma del "block", tot canviant-ne una mica la volumetria.
...Finalment, s'atura en una posició"...

← The PERI, typological study. EMBT Arq. Ass. 1996 Estudi previ del PERI. EMBT Arq. Ass., 1996
Work models, advance study of the PERI. EMBT Arq. Ass. 1996 El PERI, estudi previ. Maquetes de treball. EMBT Arq. Ass., 1996

Roof of the market. Work models Coberta del mercat. Maquetes de treball

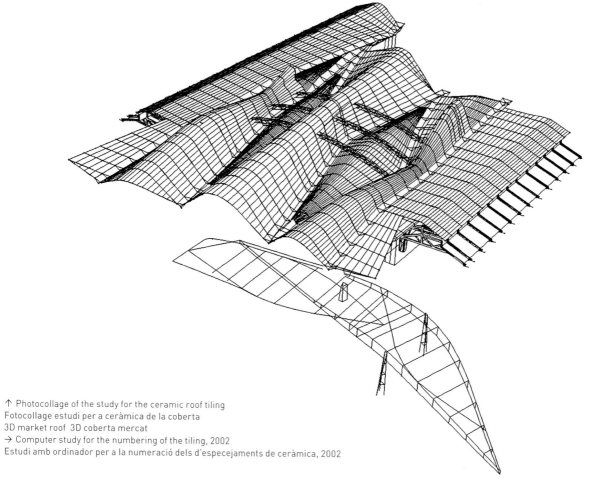

↑ Photocollage of the study for the ceramic roof tiling
Fotocollage estudi per a ceràmica de la coberta
3D market roof 3D coberta mercat
→ Computer study for the numbering of the tiling, 2002
Estudi amb ordinador per a la numeració dels d'especejaments de ceràmica, 2002

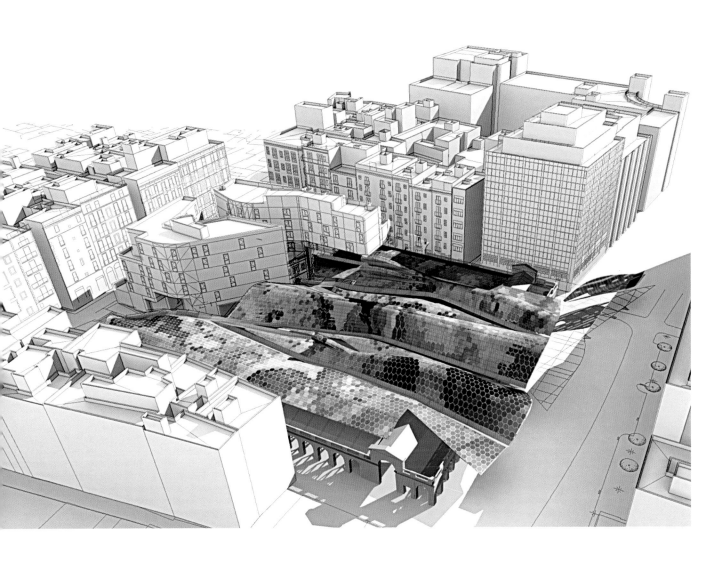

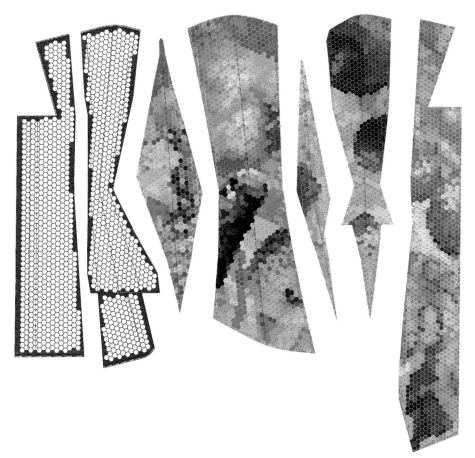

The light that enters from the high walls illuminates the produce
inside at eye-level: fish, fruit, vegetables...

La llum que entra des dels alts sostres il·lumina els productes
a l´interior a l´altura dels ulls: peix, fruita, verdura...

Work, interior roof, 2003 Obra, interior coberta, 2003
↗ Photocollage of Sta. Caterina with old market -interior-, 2001
Fotocollage de Sta. Caterina amb l´antic mercat -interior-, 2001
→ Work, construction roof, 2003 Obra, construcció coberta, 2003

The new roof on Santa Caterina invents a different level of horizon.

La nova coberta de Santa Caterina inventa un nivell d'horitzó diferent.

FAÇANA CAMBO

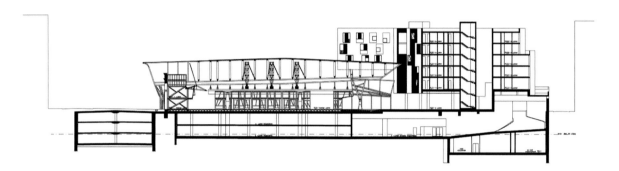

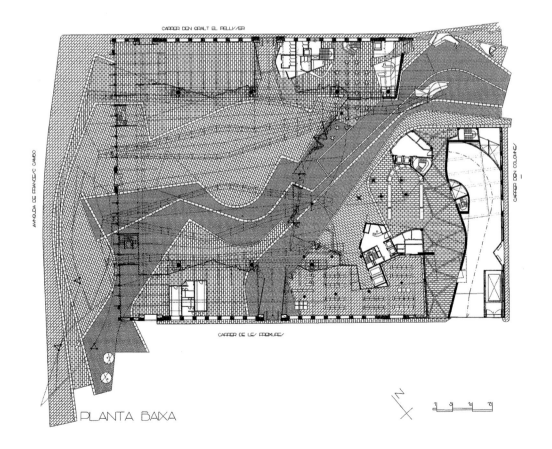

PLANTA BAIXA

Façades and ground floor Façanes i planta baixa

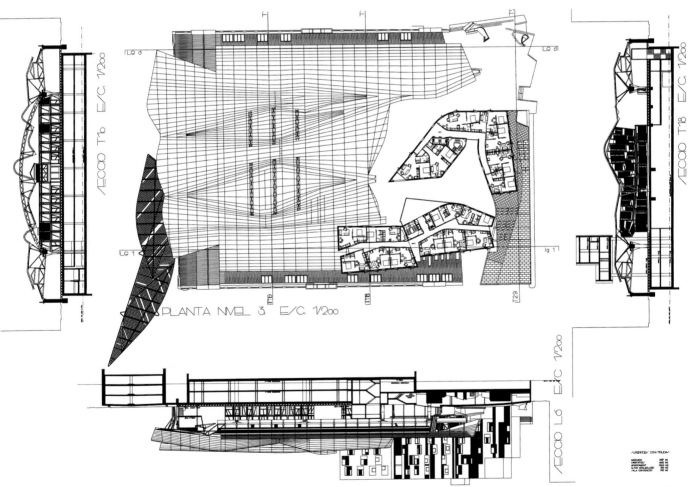

REFORMA DE L'ANTIC MERCAT DE SANTA CATERINA

MERCAT DE SANTA CATERINA / HABITATGES PER A GENT GRAN

ENRIC MIRALLES , BENEDETTA TAGLIABUE ,
EMBT, ARQUITECTES ASSOCIATS

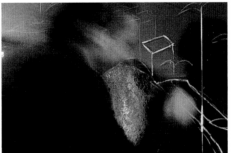

The reflection of the Santa Caterina market
in the eyes of the other people, that transforms it...
The neighbourhood painter "Gallo"
interprets the Santa Caterina market. Paint on glass.
January 2002

El reflex del mercat de Santa Caterina
en els ulls dels altres, que el transforma...
"Gallo", el pintor del barri, interpreta
el mercat de Santa Caterina. Pintura sobre vidre.
Gener de 2002

The model of Santa Caterina reflected and
deformed in the photos of Manuel Quadrada.
At the COAC exhibition. July 2002

La maqueta de Santa Caterina reflectida i deformada
en les fotos de Manuel Quadrada.
A l'exposició del COAC, juliol de 2002

We visited the studio and your house,
it was truly beautiful. Enric's mother
made lunch that day and then we
left. It's a house in the old quarter.
So, the former mayor told me as we
left: Now we know which architect to
pick. And that's how we did it.
Albert Huitchmakers, Architect

The building was composed of a series of houses that, over the
years, had been converted into the city hall, and over time it had
become a rather gloomy place, badly utilized and the passage of
time had been detrimental to it.
And now, it was a question of letting the light in, of perforating
it, opening it up, turning it into the "city's house"; our task
was about making it "the house of the city" again.
We have managed to make a double-height room where
the structures of the different eras in which interventions were
carried out in this building can be seen. Benedetta Tagliabue

Refurbishment of Utrecht City Hall Rehabilitación del Ayuntamiento de Utrecht Competition by invitation: 1997 first prize Concurso por invitación 1997
primer premio. Architects Arquitectos → Enric Miralles, Benedetta Tagliabue, Arquitectes Associats Project Head Responsable del proyecto → Marc de Rooij
Realization Realización → 1999-2000 Location Lugar → Utrecht, Netherlands Holanda Client Cliente → City of Utrecht Ayuntamiento de Utrecht (Dienst
Stadsbeheer Gemeente Utrecht) Collaborators Colaboradores → Jarne Mastenbrook, Dick van Gameren, Architectengroup (Project Proyecto); Jan Slot, INBO
Adviseurs (Works management Dirección de obra); F. Schreuders, Pieters Bouwtechniek Utrecht BV; S. Fisher, Ove Arup & Partners (Structures Estructuras);
B. Joziasse, DHV (Project Manager Director de proyecto); R. Philippi, Theo Perotti, Cumae BV, H.Y.P Oostenbrugge, D&H Group (Fittings Instalaciones).

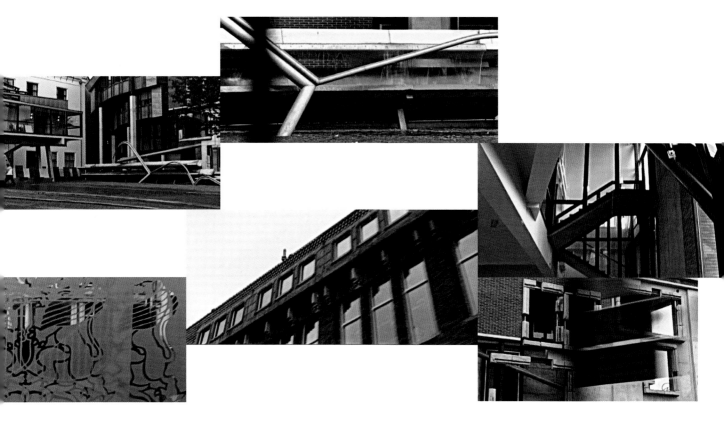

The Town Hall is right beside the city's main canal, and on the other side another very important canal borders the block. A series of those typical deep Dutch houses from different periods used to enclose the site. With the passage of time, the most important one, which had a courtyard, merged with two or three of its neighbours and became the Town Hall. Later on, other buildings were added on... Enric Miralles, Benedetta Tagliabue 1997

EMBT REFURBISHMENT CITY HALL
UTRECHT 1997 - 2000

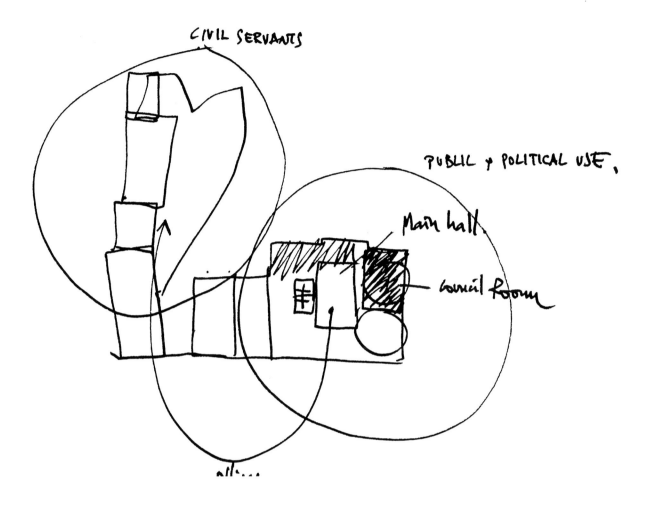

Our proposal was very simple; turn the building around 180º, freeing up space in the North creating a new square indicating the new entrance... trying to rediscover that internal rhythm... returning to the character of those little houses, to ensure that the sections of each one is different, to produce a passageway that traverses it all, while at the same time respecting the individuality of every house... We reached a decision on the stairs, to escape on the neoclassical character of the building, bringing out some parts like a balcony – a place where someone can address the public – a sort of stair-way to climb up to the piano nobile... where the skylights of the Council Chambers let the light enter from above and below...

Nuestra propuesta era muy simple; hacer girar el edificio unos 180º, liberando espacio en el lado norte y creando una plaza que indicara la nueva entrada... intentar volver a descubrir el ritmo interno... recuperar el carácter de aquellas casitas, para asegurar que las secciones de cada una de ellas sean diferentes, para producir pasadizos que lo atraviesen todo, respetando, al mismo tiempo, la individualidad de cada casa... Llegamos a un acuerdo sobre las escaleras para huir del carácter neoclásico del edificio, sacando hacia fuera algunas partes, como un balcón -un lugar desde el que dirigirse al público-, una especie de espacio de escalera para subir al piano nobile... donde las claraboyas de las salas del Consejo dejan que la luz penetre desde arriba y desde abajo...

Sketch Enric Miralles, 1997 Croquis de Enric Miralles, 1997

Photomontage for the competition Enric Miralles, 1996 Fotomontaje para el concurso, Enric Miralles, 1996
Site. Drawing EMBT ARQ. Ass. Emplazamiento. Dibujo a mano de EMBT Arq. Ass.
General model Maqueta general

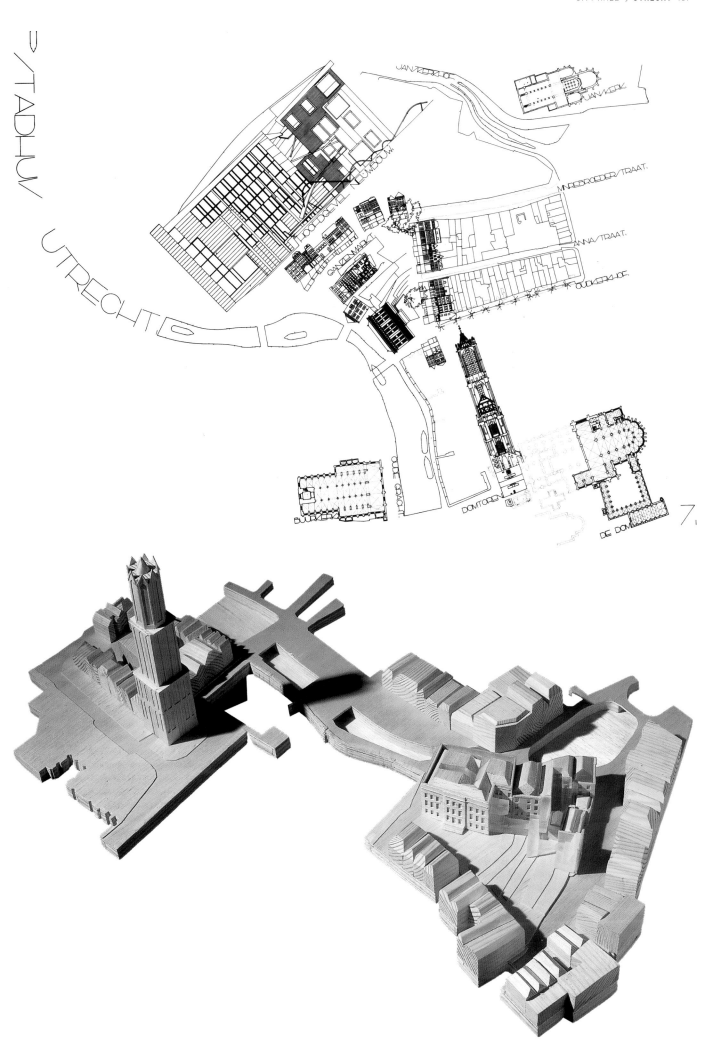

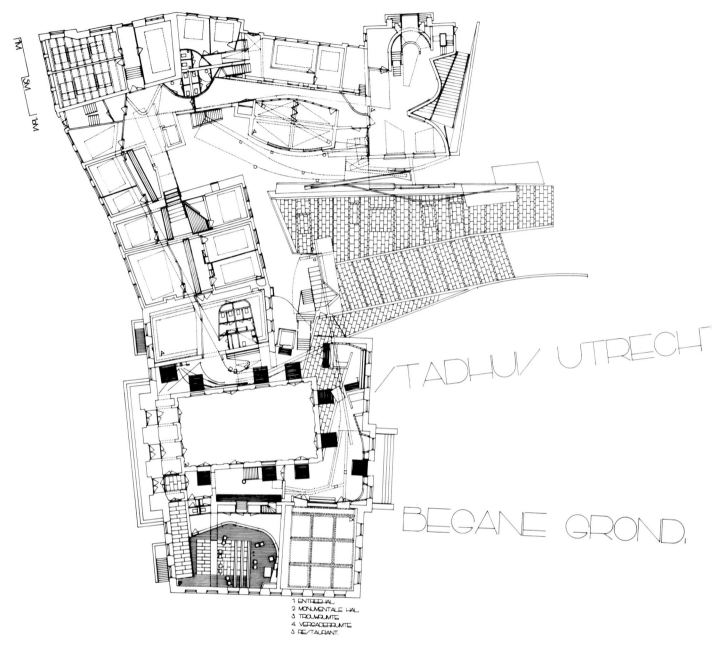

STADHUS UTRECH

BEGANE GROND.

1 ENTREEHAL
2 MONUMENTALE HAL
3 TROUWRUMTE
4 VERGADERRUMTE
5 RESTAURANT.

El ala nueva.

La mayoría de oficinas para los funcionarios se hallan situadas en el ala nueva...
Las dimensiones correctas de las habitaciones y un largo perímetro que permite la entrada de la luz natural en todas las áreas de trabajo...

El edificio discurre paralelamente al Ganzemarkt mantiene la escala de las casas a ambos lados de la calle...

La conservación de la fachada del edificio, de 1930, es la manera de definir Ganzemarkt

Y para ocuparnos de la nueva plaza...
El restaurante–café fiore? establece una amable relación entre el ayuntamiento y la ciudad...

Ground floor Planta baja
→ Model roofs, 1997 Maqueta desmontable de las cubiertas, 1997

The new wing.
          Most of the offices for civil servants are located in the new wing...
The correct dimensions of rooms and a long perimeter allows natural light into
all the working places...
                    The building runs parallel to Ganzenmarkt and maintains
the scale of the houses on both sides of the street....
          The conservation of the building with the 30s façade (the façade
of the 30s building) is the way to define Ganzenmarkt
                    And to occupy the new square...
The restaurant – café fiore? – makes a friendly connection between the Town
Hall and the city...

Particular fachadas. Detalle de las fachadas

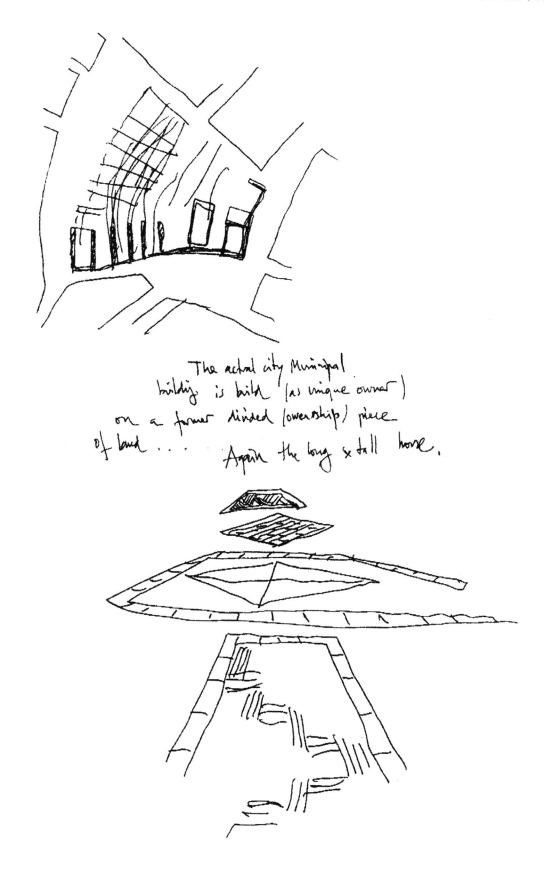

The present city Municipal building was built (by a single unique owner) on a former divided (ownership) piece of land... Again the long and tall house.
Enric Miralles 1997 notebooks

El edificio público municipal en sí (como propietario único) sobre un trozo de terreno (en propiedad) antes dividido... Una vez más, la casa larga y alta.

En la construcción del
ala nueva hemos rescatado
materiales (ladrillo,
piedras, armazones, etc...)
procedentes de la demolición...
A fin de tener un
edificio nuevo con materiales
de calidad...

In the construction of the new wing
we recycled material (brick, window ledges and lintel
stones, etc...) from the demolition...
to achieve a new building with quality materials ...

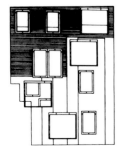 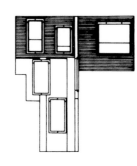 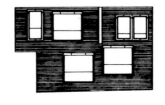

Façades Fachadas
Drawings façades Dibujos de las fachadas
Entrance Entrada →

Rediscover the value of the interior rooms in the neoclassical building.
Above all the medieval hall.

Redescubrir el valor de las salas interiores en el edificio neoclásico.
Principalmente el vestíbulo medieval.

Remodelling Utrecht City Hall Rehabilitación del Ayuntamiento de Utrecht
↑ Plenary hall Sala de plenos
→ Section Sección

b. The new council Room will be the ~~new~~ new Room that has importance... it is very similar to ~~the~~ Medieval Hall in dimensions...

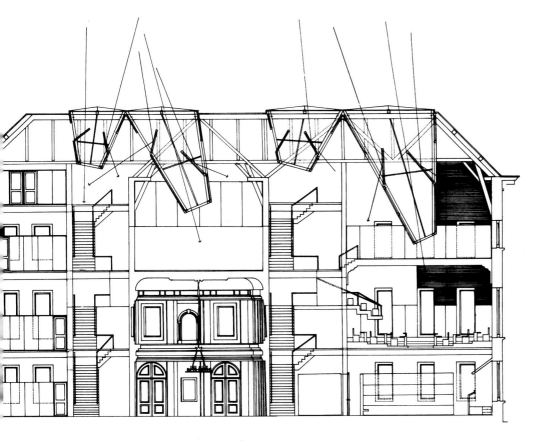

b. The new Council Room will be the new main room that has importance... It is very similar to the Medieval Hall in dimensions... Light will come from the roof and a new atmosphere is going to be created there... A stair coming from the new entry will have a direct access to it.

b. La sala del Consejo será la nueva sala más importante... Sus dimensiones son muy similares a las del vestíbulo medieval... La luz entrará desde el techo y creará una nueva atmósfera en ese lugar... Una escalera desde la entrada nueva permitirá el acceso directo a la misma.

We like to think that the Venice University building fell from the sky. Perhaps that's why it's denser at the top, where the classrooms are, which are like monks' cells where the students can concentrate on their thoughts and have only the light from the sky. The lower part, in contrast, is public and wide open. It includes both auditoriums, the large and the small one, and, above all, the broad staircase where the students can gaze upon the Canale della Giudecca, sitting out in the sun and devoting themselves to that part of their studies that has more to do with conversation. And, at the back, facing the city of Venice, there is a little square, a smaller *campiello*, comparable in size to the Campiello di San Niccolo... Benedetta Tagliabue

New IUAV Istituto Universitario Venezia Nueva Sede del IUAV (Istituto Universitario Venezia). Competition, first prize Concurso del proyecto, primer premio First stage: 1998; second stage: 1999 Primera fase: 1998; segunda fase: 1999 Architects Aquitectos → Enric Miralles Benedetta Tagliabue, Arquitectes Associats. Project Head Responsable del proyecto → Elena Rocchi. Realization Realización → 2001- underway en obra. Location Lugar → Venice, Italy Venecia, Italia. Client Cliente → IUAV Servizi & Progetti - ISP srl, Venice. Coordination Coordinación → Studio Beppe Camporini, Venice. Collaborators Colaboradores → Julio Martinez Calzón, Estudio Mc2, Barcelona (Pre-assessment of structures Valoración previa de estructuras); Mauro Giuliani, Studio Redesco, Milano (Construction drawings of structures Proyecto de ejecución de estructuras); Estudi Higini Arau, Barcelona (acoustics acústica)

Not long ago I was walking around Venice, on my way to the site of our project, and I realized that, as I made my way, first by vaporetto and then on foot, it was our crane that was guiding me. And for me, now, that crane is like my North Star in Venice, just as the Campanile di San Marco is for any Venetian citizen. For us, the Venice project is a reflex. Elena Rocchi, Architect

On the façade of the building we're going do a large window with Murano glass. I started with a very free drawing, in which I have given maximum importance to colour. Jacint Todó, Painter

EMBT NEW IUAV ISTITUTO UNIVERSITARIO
VENEZIA 1998

Paint over postcard from Venice, Jacint Todó, 2002 Pintura sobre una tarjeta postal de Venecia, Jacint Todó, 2002
→ Competition, second round, 1998. Sketch Enric Miralles, 1998 Concurso, segunda fase, 1998. Croquis de Enric Miralles, 1998

All of us have heard that, in the end, neither Frank Lloyd Wright,
nor Le Corbusier nor Louis Kahn ever built in Venice...
Nevertheless these projects
continue to be a place of reflection...
        And this is Venice.
Venice is a magnificent place for reflection.
A strange place that makes me wonder
why an architect like Louis Kahn would have written, and built
accordingly, that "a street is a room" and that with this thought
he seemed to be able to embrace Venice, while in his projects,
instead, he strays far away...
He looks at the Palazzo Ducale from far away,
and also (from far away he looks) through cupolas,
at the Byzantine past of the city...
A strange place where there is the presence
of what was the model of the compact city,
with the superimposition of layers
        which accompanied the second half of the 20th century.
A strange place, where you can still sense the doubt about the
opportunity of a new building for the IUAV on the Canale della Giudecca.
From the boat you can ask yourself : "How will the building fit
in here, in the Zattere?"
A strange place, where things mix with the time of the city...
        A strange place
where the Situationists where not able to weave a dérive!
Many have built a Venice in the air, in their imagination...
Venice is the source Calvino's invisible cities...
From Venice, a magnificent
School of Architecture, it does not seem necessary to renew
the city to find in it new educational material...
But when we come to work
In the city everything becomes clearer,
What is strange disappears, and transforms into the need
to accept different ways of building...
Venice proposes a long list of limitations...
This list enables you to work as if you were guided...
Venice is an excellent partner, who steers you in a clear and sure way...
For example, in its extraordinary urban richness,
it shows you how a building has never to hide the fact that it does
not have an urban character, by repeating in its interior
destroyed urban elements...
Neither buildings that are streets,
nor buildings that are squares...
but moulding the urban space in a subtle way.
Do not show too much:
better to hide than show... do not raise your head,
but raise your gaze instead.
Show the strong side, do not scratch your head,
not even in private.
Be careful....
the acoustic in Venice is primordial; a building has to respect its "echo".
Try to admire the fakir beds without sitting... on them
Try to respect the meanness of the steps.
Don't be scared to turn the corner.
Small
Everything small...
Everything is smaller than what
it should be on this side...
and more, and more and more...
Enric Miralles 1998

Traducción en p. 245

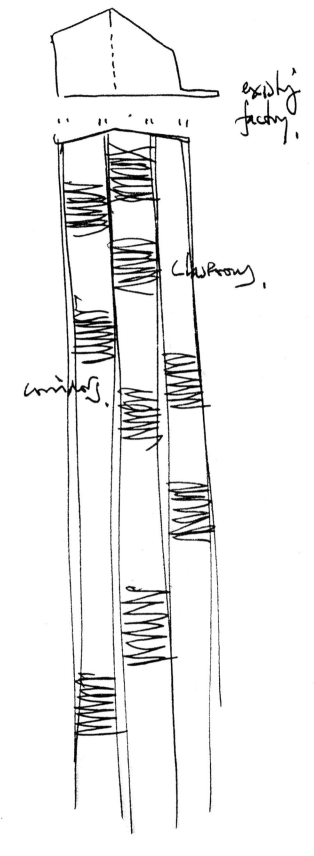

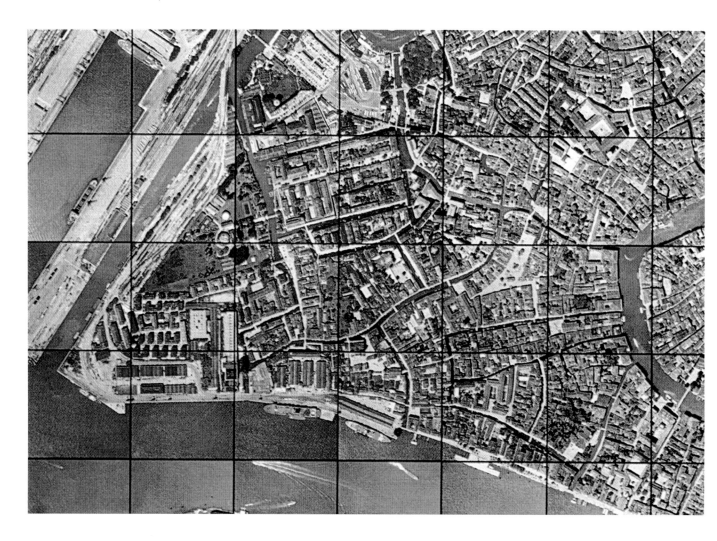

La zona en la que se eleva actualmente el depósito frigorífico en San Basilio y donde
deberá edificarse la futura nueva sede del Istituto Universitario di Architettura di Venezia
se halla en un lugar muy especial de la ciudad.
Actualmente, el muelle es de uso aduanero y por ello el área se encuentra separada del
resto de la ciudad de Venecia, que se alza directamente a sus espaldas.
En cambio, a lo largo del muelle surgen, de modo homogéneo, edificios industriales cuyas
fechas de construcción van desde finales del siglo XIX hasta los años cincuenta del siglo XX.
Hoy, el deseo de la ciudad de Venecia es reinserir dicho lugar en el tejido urbano
y reconstituir la permeabilidad de los recorridos, así como también una cierta homogenei-
dad visual. La construcción de la nueva sede del IUAV en esta zona tiene una importancia
fundamental para el inicio del proceso revivificador. Enric Miralles y Benedetta Tagliabue, 1998

Photo plan Venice. Project area. Fotoplano de Venecia. Área proyecto
→ Canale della Giudecca. Photomontage Enric Miralles. Fotomontaje de Enric Miralles
↗ Site. Drawing EMBT ARQ. Ass. Emplazamiento. Dibujo de EMBT Arq. Ass.

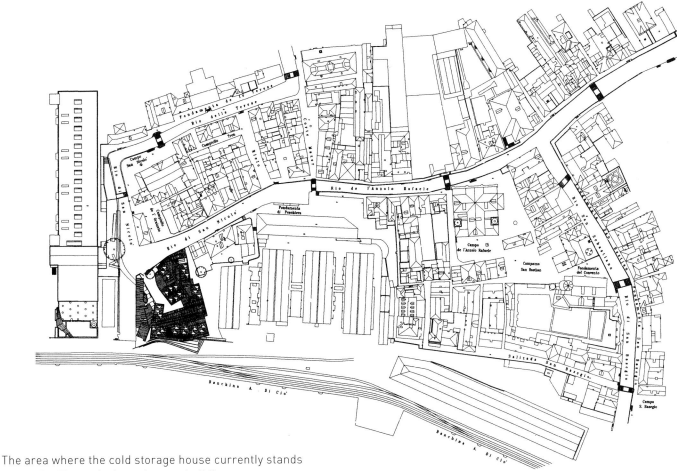

The area where the cold storage house currently stands
in San Basilio, and where the new building
for the Istituto Universitario di Architettura di Venezia is to be
built, lies in a very special part of the city.
The quay docks are now used by the customs authorities
and thus the area is cut off from the rest
of the city of Venice, which rises directly away from here.
On the other hand, all along the docks industrial buildings dating
from the late 19th century to the 1950s rise homogeneously.
Today, the city of Venice wants to reinsert this site into the urban
fabric, making it permeable to traffic,
as well as to lend it a certain visual homogeneity.
The construction of the IUAV in this area is of fundamental
importance to the start of the revival process.
Enric Miralles, Benedetta Tagliabue 1998

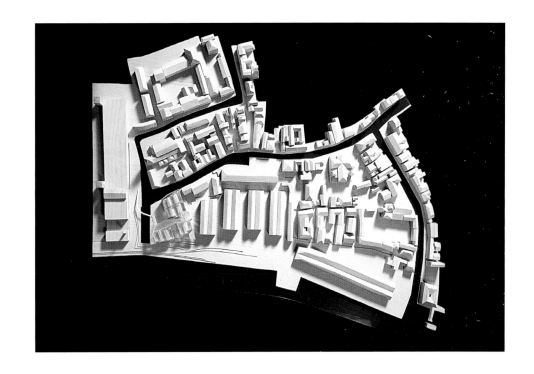

↑ Rear façade canal, photocollage Fachada trasera al canal. Fotocollage
Site model Maqueta del emplazamiento

"CHE BEN CHE SE STÁ"* The IUAV is connected to the Canale della Giudecca like
the Salute and the Station are connected to the Canale Grande: by means of stairs;
stairs that we imagine full of people dedicated to an activity that is also leisure.
By the stairs one comes to the raised terrace and, from there, to the ramp that leads
to the bridge of the current IUAV building in the textile mill.
By stairs and the lifts, one goes up towards the auditoriums, study rooms and
classrooms, always coming out on unexpected floors plans terraces and large exterior
spaces, as if the building sought to mirror from on high the shape of the city Venice

"CHE BEN CHE SE STÁ"* El IUAV aterriza ante el Canale della Giudecca, como la Salute o la
Estación aterrizan ante el Canale Grande: a través de escaleras; escaleras que imaginamos
llenas de gente entregada a una actividad que también es ocio.
Desde las escalinatas se sale al patio elevado y, desde éste, a la rampa que conduce
al puente de enlace con la sede actual del IUAV en la fábrica de tejidos.
Por escaleras y ascensores se va subiendo hacia los auditorios, los estudios y las aulas,
desembocando siempre en pisos inesperados, provistos de terrazas y de amplios espacios
exteriores, como si se buscara seguir desde la altura la forma de la ciudad de Venecia.

* A venetian expression meaning "How good to be here!" Expresión veneciana que significa "¡Que bien que se está aquí!"
Model, " i gradini", 2nd phase Maqueta, particular " i gradini", segunda fase
→ Ground floor, 2nd phase, drawing Enric Miralles, 1998 Planta baja, segunda fase. Dibujo a mano de Enric Miralles, 1998

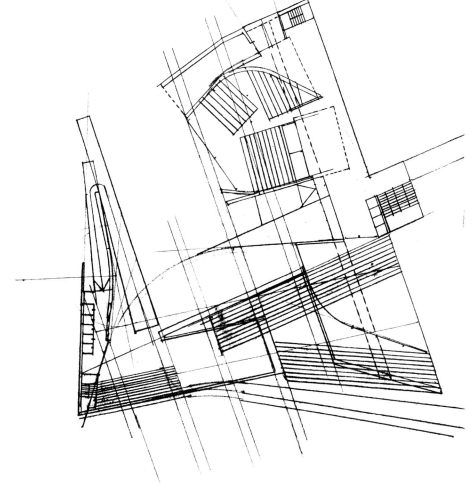

Construction drawings, façades Fachadas. Proyecto ejecutivo
Section. Drawing EMBT ARQ. Ass., 2001 Sección. Dibujo de EMBT Arq. Ass., 2001

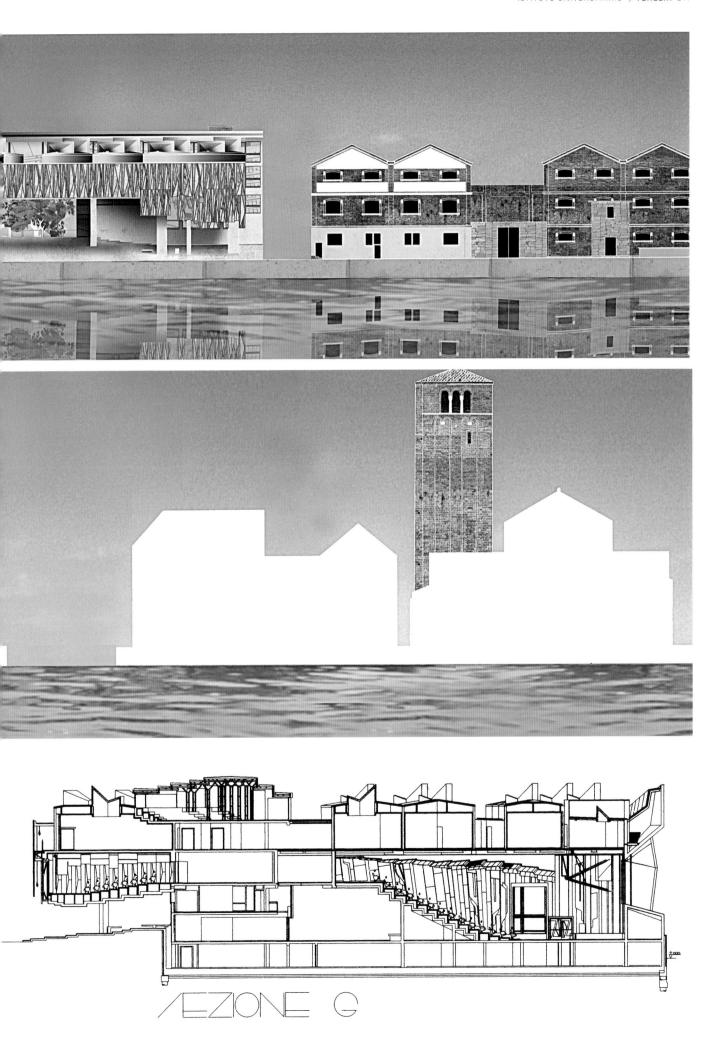

/EZIONE G

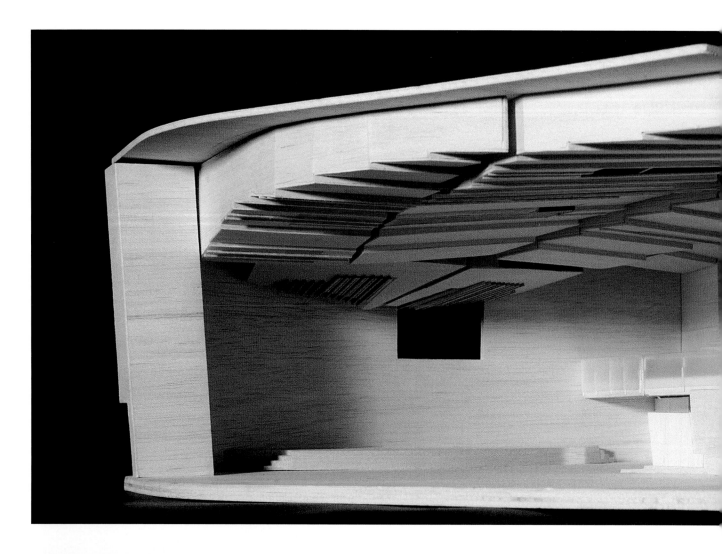

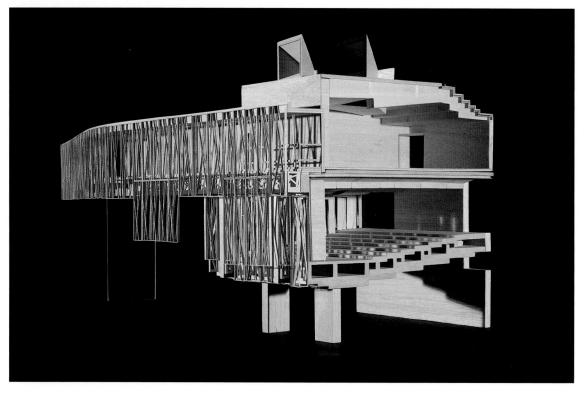

Model auditorium Maqueta del auditorio
Plan auditorium. Exploded view interior façade Plano del auditorio. Despiece de la fachada interior

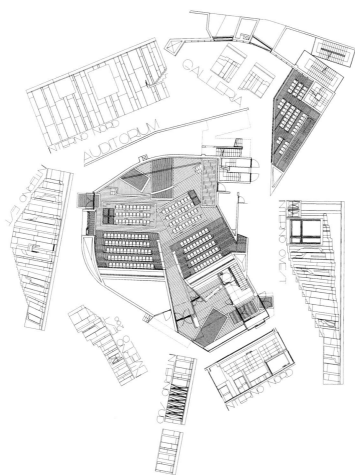

Intermediate phase. Sketch Enric Miralles, 1999
Fase intermedia. Croquis de Enric Miralles, 1999

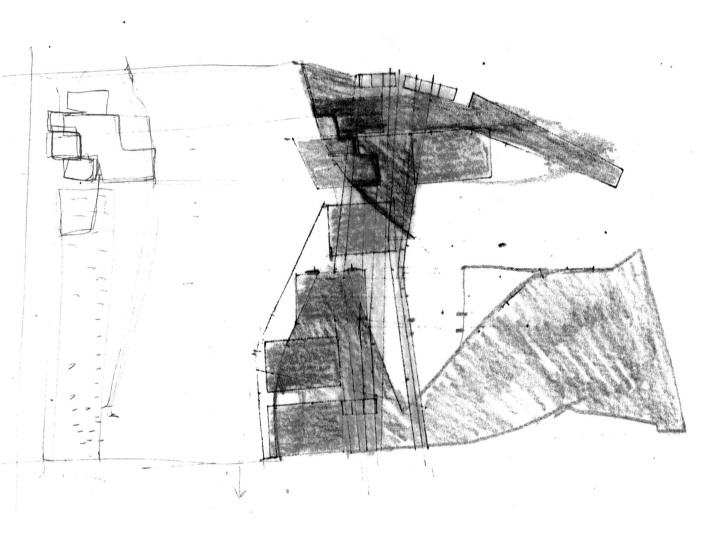

The classrooms have been laid out with the idea that teaching can often take place outside,
in the corridors, in the courtyards, in the perception of the city in which one studies: thus the entire building,
and not only the interior of the classroom, performs an educational function.
That's why the building creates many open spaces, thanks to an almost zigzag morphology.

Las aulas han sido dispuestas pensando que la docencia con frecuencia puede producirse en el exterior,
en los corredores, en los patios, en la percepción de la ciudad en la que se estudia: por esta razón todo
el edificio, y no solo el interior del aula, cumple una función pedagógica.
Por eso este edificio crea muchos espacios libres, gracias a una morfología casi en zigzag.

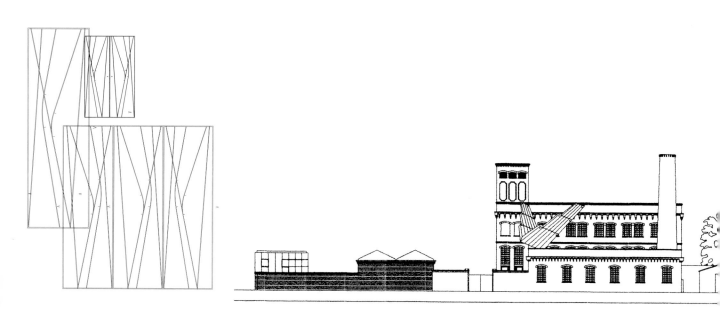

Study model of the façade, 2002 Maqueta del estudio de la fachada, 2002
Windows. Drawing EMBT ARQ. Ass. Ventanas. Dibujo de EMBT Arq. Ass.

Some glass floor areas let one see blocks of colored glass, fragments of Murano glass. This motif is repeated on the facade, causing a fusion between the openings with a certain transparency and the solid facade. The blocks of Murano glass, waste from the kiln, are laid out in order of colours inside high glass classes blending transparency and solidity.

Algunas zonas pavimentadas en vidrio dejan ver bloques de vidrio colorado, fragmentos de cristales de Murano. Esto se repite en la fachada, haciendo que se confundan las oberturas con cierta transparencia de la solidez de la fachada. Los bloques de vidrio de Murano, deshechos de los hornos, están dispuestos, ordenados por colores, en el interior de altísimas cajas de vidrio en las que se confunden transparencia y solidez.

PRO/PETTO /UD

Painting by Jacint Todo for the Venice façade. Pintura de Jacint Todó para la fachada de Venecia
South façade Canale della Giudecca Fachada al Canale della Giudecca

An immense, very bold building
which has been progressively
adapted to the suggestions that
emerged, the needs, the
difficulties foreseen by the user.
I find the result admirable.
Francesc Mitjans, Architect

This is a very special place. From here one can see
almost the whole city. Many areas converge here and
the project wants to explain this. The building has
taken shape from the forces that come together here.
An incredible energy coming from the movement
of cars, of people passing by...of the Vila Olímpica, with
the Olympic towers...The building would be a sort
of attempt to bring all this together. Benedetta Tagliabue

New Gas Natural offices Nova Seu Gas Natural. Competition, first prize 1999 Concurs 1999, primer premi. Architects Arquitectes → Enric Miralles Benedetta
Tagliabue, Arquitectes Associats. Project Heads Responsable del projecte → Elena Rocchi, Josep Ustrell. Realization Construcció → 2003-.
Location Lloc → Barcelona, Spain. Client → Torre Marenostrum S.L., Gas Natural S.D.G. S.A. Collaborators Col·laboradors → Servihabitat XXI S.A, IDOM
Ingenieria y Sistemas. S.A. (Project head Director de projecte); Estudio de Ingenieria MC2 (Structure Estructura); PGI Grup. (Fittings Instal·lacions);
CIC.M. Roig i Assoc. S.L. (Technical Architects Aparelladors)

The office volume is broken
in two. One vertical and
the other horizontal.
Of almost equal length...
There is a vertical high-rise
alongside an overhanging
horizontal one. Between them,
a door opens the building
to the pedestrian.
Elena Rocchi, Architect

The new building embodies a clear will for
compatibility with its urban setting:
- The small scale of the Barceloneta neighbourhood...
- The nearby flat blocks and the park...
the new tall buildings of Barcelona.
Enric Miralles

And we did it in La Barceloneta
because that is where the
Barcelona gas industry was
born. Indeed, the first plant
was built there, one hundred
and sixty years ago.
Antoni Flos, Director, Gas Natural

EMBT NOVA SEU GAS NATURAL
BARCELONA 1999-

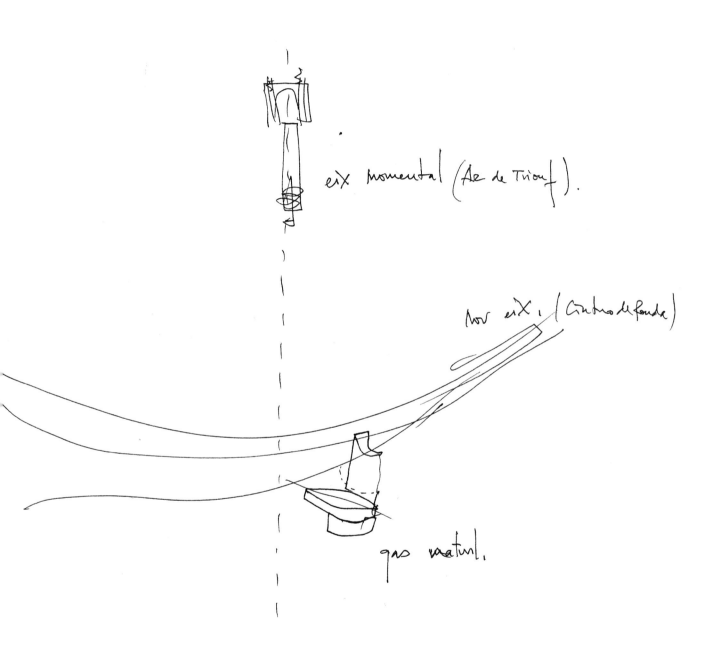

eiX momental (Arc de Triomf).

nov eiX. (Centro del fonda)

gas natural.

Definir l'edifici del gas Natul
com l'assamblatge de dos models:

A   Una tone (lo mes eshelta posible),

Acristalada,

notes amb protecció externa _ _ _

B   ~~i una barra que~~

i un edifici horitzontal _ _ _

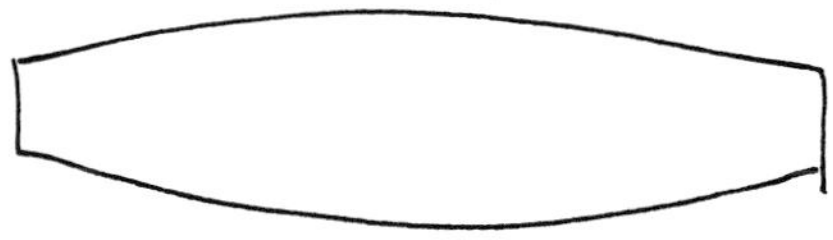

Tots dos edificis tenen una tradició coneguda dins
dels edificis d'oficines . . .

Aquí i proposem el seu

asamblatge . . .

a la vegada que organitzem la

seva volumetria a través d'un carrer - vestibul

interior de gran alçada.

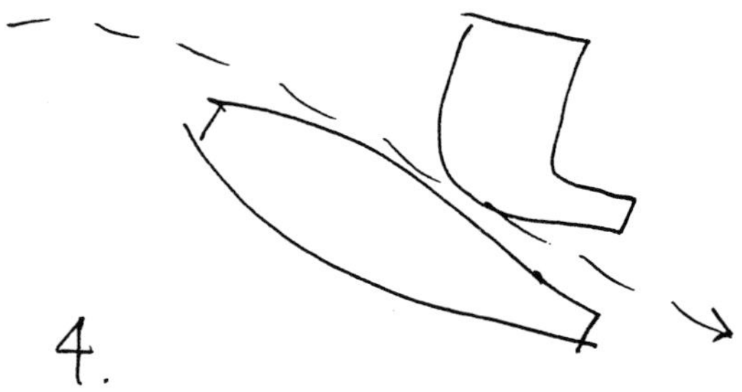

4.

que permet

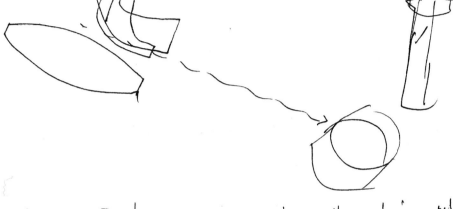

Reclamar la ~~tras~~ trasformació urbana dels camps de jocs als seus voltants...

e incorporar la memoria de les velles construccions del gas.

To define the Gas Natural building as an ensemble of two models:

A high-rise (as slender as possible)

        A. Glass façade. Glass panes with internal protection...

B. And a horizontal building...

Both buildings have a tradition known within the sphere of office buildings...

    Here we propose their

        Assembly...

    At the same time, we arrange

their volume around an interior lobby-channel of great height.

Which will allow the urban transformation of the surrounding
soccer playground...
and the incorporation of the remembrance of the old Gas Company
constructions.

Enric Miralles original text from September 1999 report

Definir l'edifici del Gas Natural com l'assamblatge de dos models:
A. Una torre (la més esvelta possible)
        "Acristalada" vidres amb protecció interna...
B. i un edifici horitzontal...
Tots dos edificis tenen una tradició coneguda dins dels edificis d'oficines...
    Aquí proposem el seu
        assamblatge...
    a la vegada que organitzem
la seva volumetria a través d'un canal-vestíbul interior de gran alçada.

que permet reclamar la transformació urbana
dels camps de jocs als seus voltants...
i incorporar la memòria de les velles construccions del Gas.

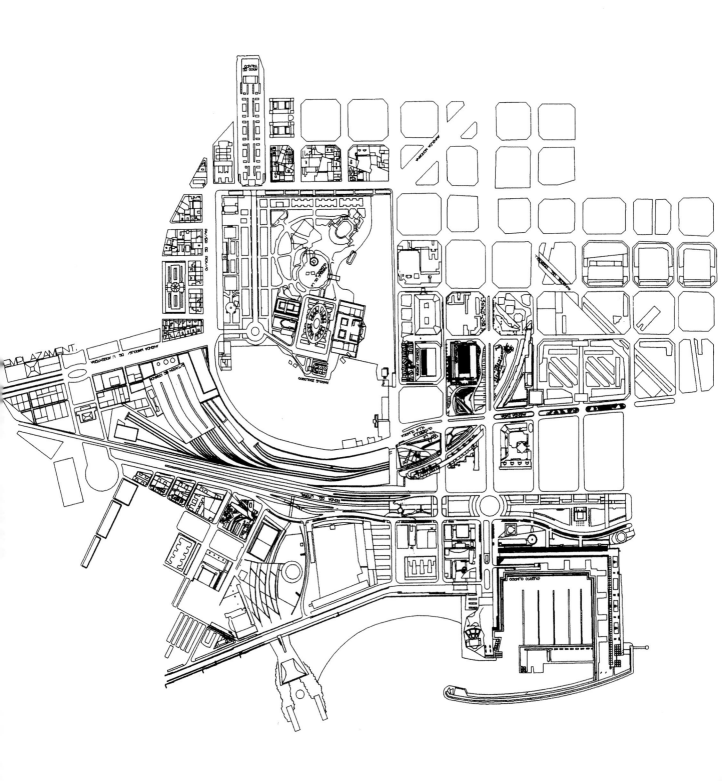

Site. Drawing EMBT ARQ. Ass. Emplaçament. Dibuix EMBT Arq. Ass.
Torre de Gas Natural, Barcelona. Elevation from seafront bypass Alçat des del cinturó litoral
Photomontage competition Fotomuntatge concurs

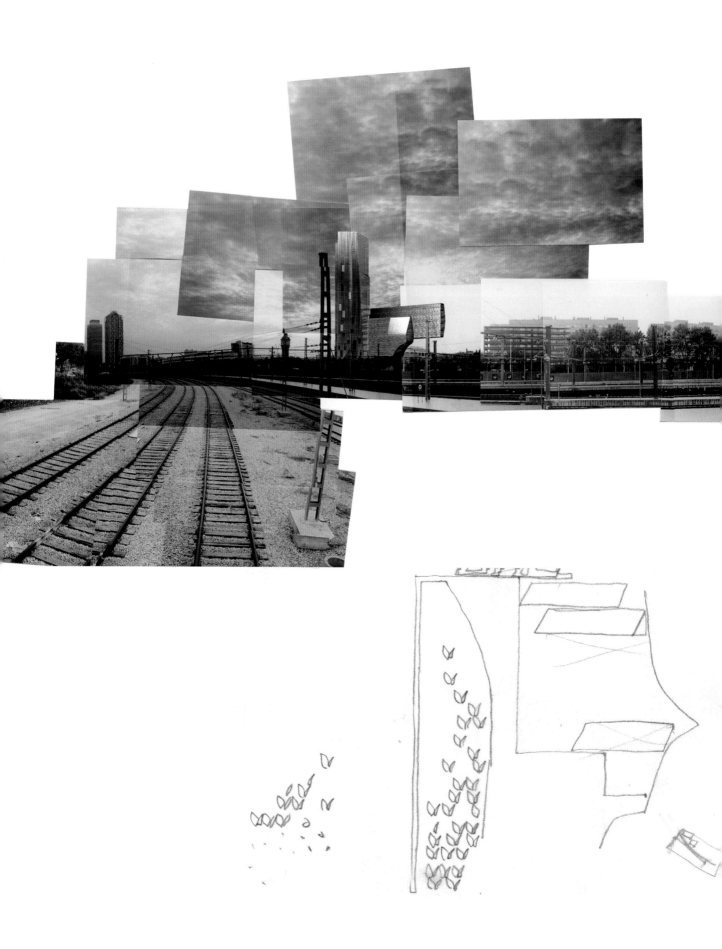

Photomontage competition EMBT Arq. Ass., 1999 Fotomuntatge concurs EMBT Arq. Ass., 1999
Façade study. Sketch Enric Miralles, 1999 Estudi façana. Croquis d'Enric Miralles, 1999

GAS NATURAL.

Després d'una primera ~~presentació~~ presentació que atenia ~~fig~~ al caràcter ~~de la nostra~~ del edifici per gas Natul ~~proposta~~ i al seu discurs urbà: varem insistir en els següents punts: ~~No es una "torre" lo que el~~

a. fig. Insistir en el caràcter urbà del cinturó...

Fer una proposta volumètrica que fig. tingui la flexibilitat i varietat necessària per encaixar en un lloc que es caracteritza per la seva varietat de ~~situacions~~, situacions i visuals...

fig.

b. Proposar un volum cambiant que s'allunya del model de petitas tones aïllades com en el cas de caner Tarragona.

creiem, l'edifici ~~del gas~~ fig. de Gas Natul, te que enriquir el perfil de la ciutat...

La seva col·locació en el crevament d'un eix monumental històric: L'eix de l'arc del Triomf, i un nou eix, de diferent monumentalitat: cinturo de ronda

GAS Natural: After a first presentation, which had to do with the character to be given to the gas natural building in relation to its urban context, we insisted on the following points: a. Insisting on the urban character of the motorway... Make a volumetric proposal that has enough flexibility and variety to fit in a place characterized by a variety of situations and visuals... b. Proposing a metamorphic volume which distances itself from the one of small, isolated towers, like the one on Carrer Tarragona. We believe that the Gas Natural building has to enrich the city skyline... Its location at the crossing of a historic monumental axis: the Arc del Triomf axis, and a new axis monumentality: the sea front bypass.

GAS Natural: Després d'una primera presentació que atenia al caràcter de l'edifici per a Gas Natural i al seu discurs urbà: vàrem insistir en els següents punts: a. Insistir en el caràcter urbà del cinturó... Fer una proposta volumètrica que tingui la flexibilitat i la varietat necessàries per encaixar en un lloc que es caracteritza per la seva varietat de situacions i visuals... b. Proposar un volum canviant que s'allunya del model de petites torres aïllades, com en el cas del carrer Tarragona. Creiem que l'edifici de Gas Natural ha d'enriquir el perfil de la ciutat... La seva col·locació en l'encreuament d'un eix monumental històric: L'eix de l'Arc del Triomf, i un nou eix de diferent monumentalitat: cinturó de Ronda.

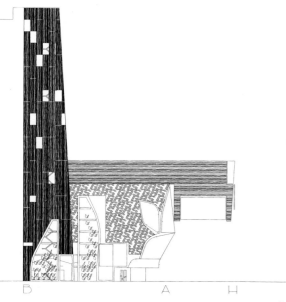

It has the verticality of an office high-rise.
And the fragmentation of a series of constructions of varying scales which end up forming a unitary volume...

It creates a large projection, forming a large gate enabling it to open out onto the Barceloneta neighbourhood...

It forms a singular public space that lowers the construction to the ground, to form an urban landscape of varying dimensions...

Té la verticalitat d'una torre d'oficines.
I la fragmentació d'una sèrie de construccions de diferents escales que acaben per formar un volum unitari...

Dóna lloc a un gran voladís, tot formant una gran porta que li permet obrir-se al barri de la Barceloneta...

Forma un espai públic singular que baixa la construcció fins a terra, fins formar un paisatge urbà de diferents dimensions...

Competition elevation. Drawing EMBT ARQ. Ass. Alçat. Dibuix de concurs EMBT Arq. Ass.
Perspective competition. Drawing EMBT ARQ. Ass. Perspectiva concurs. Dibuix d'EMBT Arq. Ass.

Model, 2003. Maqueta, 2003

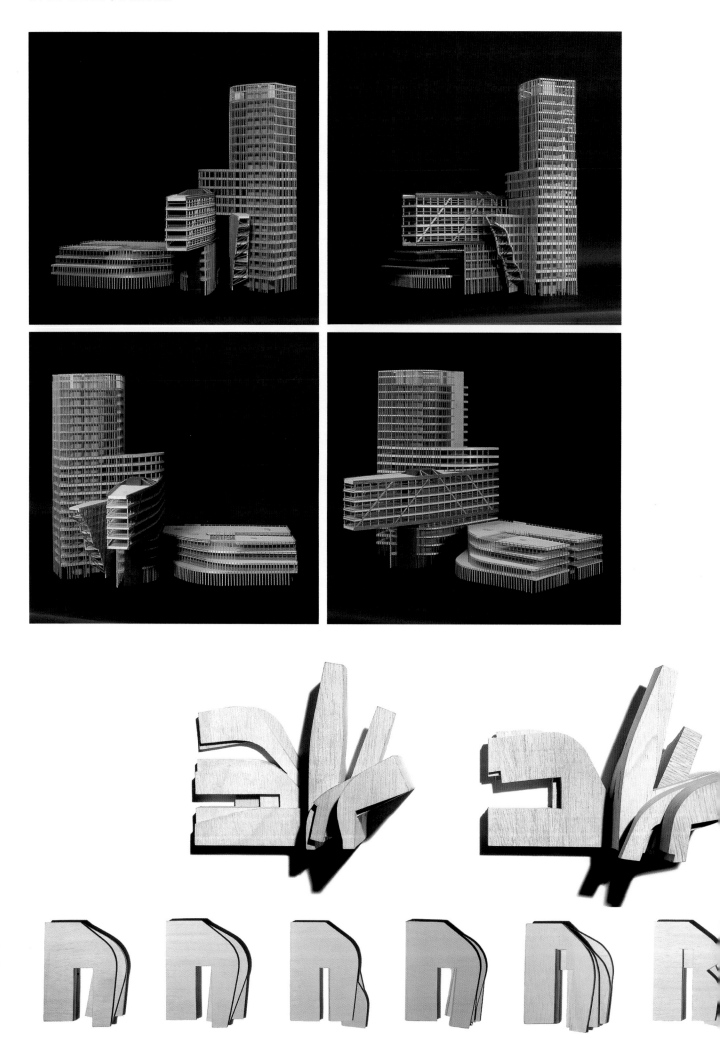

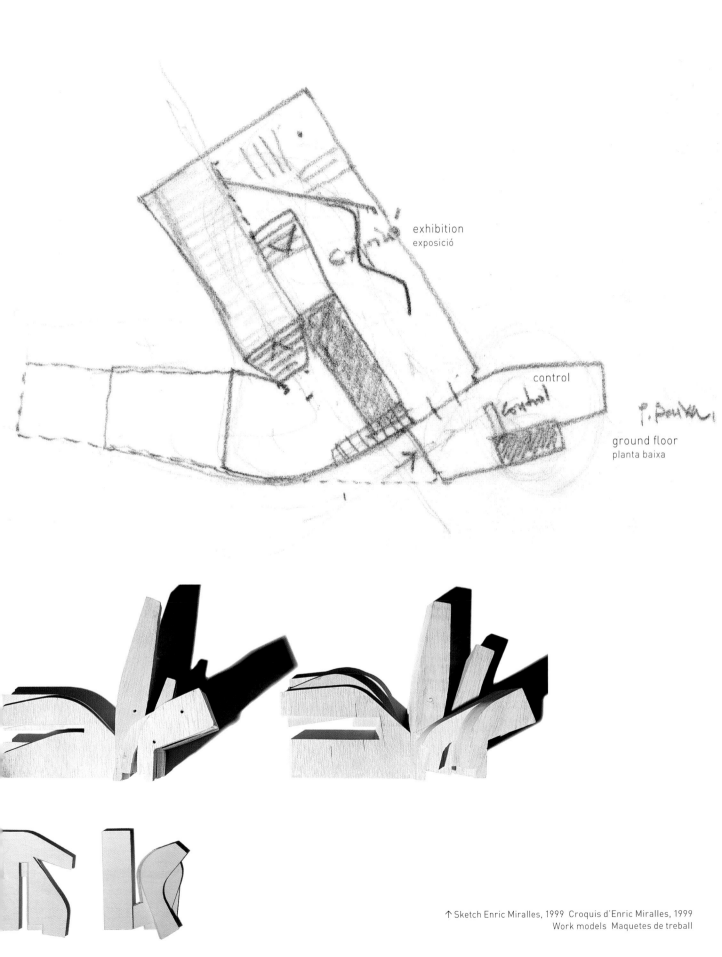

exhibition
exposició

control

ground floor
planta baixa

↑ Sketch Enric Miralles, 1999 Croquis d'Enric Miralles, 1999
Work models Maquetes de treball

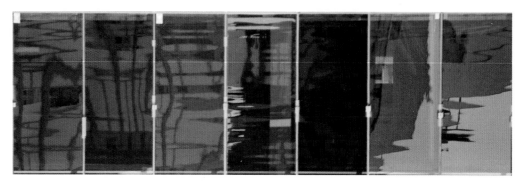

The treatment of the façades follows
a similar criteria...
...A series of large windows at the
ground floor catch the attention of a
close-up study... while an undifferentiated
volumetric treatment with a curtain
wall protects the building from the sun and
noise, unifying the series of abstract
volumes that mingle with the buildings
neary the motorway.

A slight deformation in the glass will
make the reflections totally abstract and
very luminous.

El tractament de les façanes segueix
un criteri semblant...
Una sèrie de finestrals li confereixen
interès quan se'l mira de prop...a la
planta baixa, mentre que un tractament
volumètric, amb revestiment exterior
indiferenciat, protegeix l'edifici del sol
i del soroll i presenta uns volums
abstractes que es confonen amb les
altres construccions al llarg del Cinturó.

Una lleugera deformació del vidre
farà els reflexos totalment abstractes
i molt lluminosos.

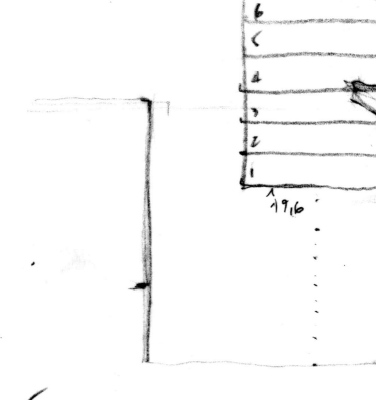

Glass Vidre.
Sketch Enric Miralles, 1999 Croquis d'Enric Miralles, 1999

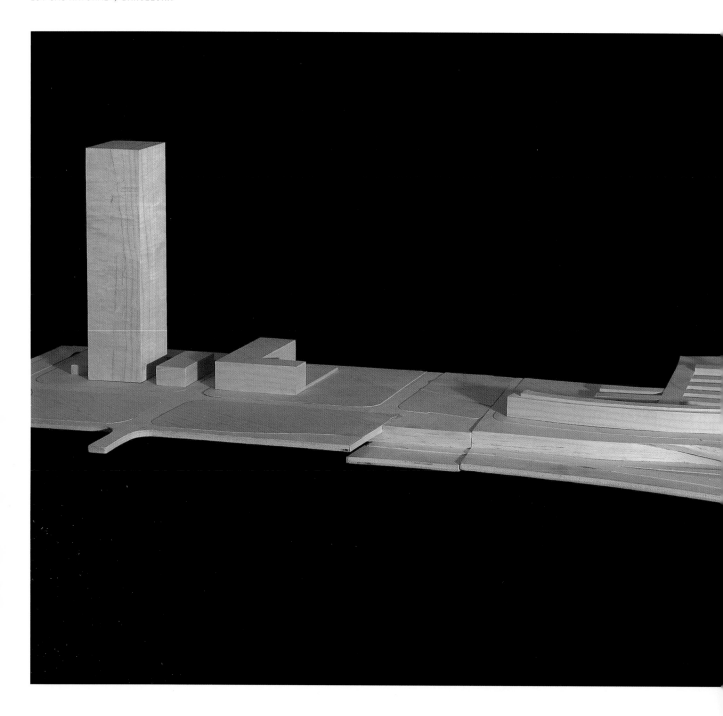

Site model Maqueta de l'emplaçament
→ Sketch Enric Miralles, 1999 Croquis d'Enric Miralles, 1999

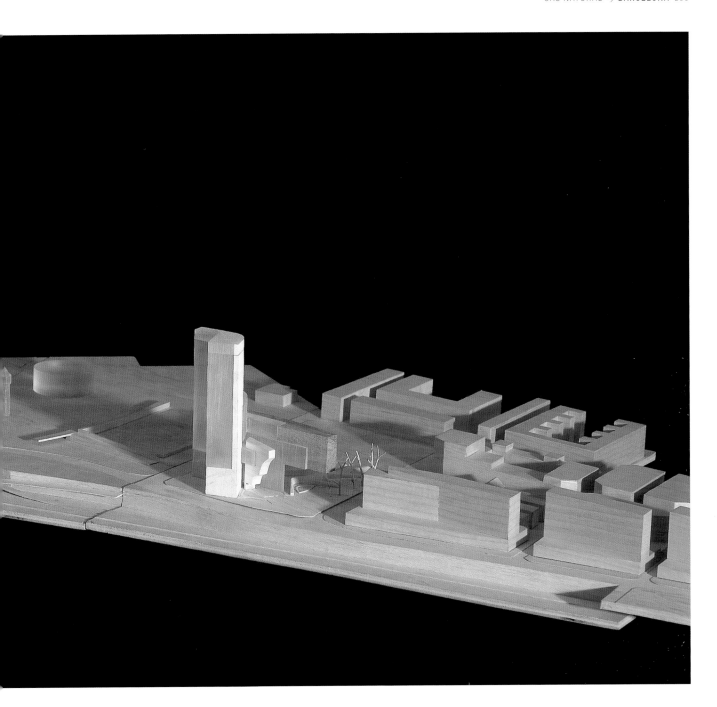

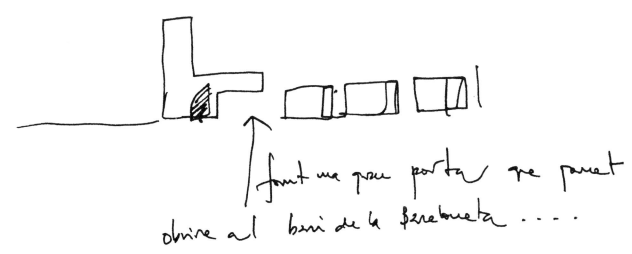

Formant una gran porta que permet obrir-se al barri de la Barceloneta…
This forms a great doorway which permits an opening onto the Barceloneta's neighbourhood…

↑ L'edifici es veu des del zoo del parc de la Ciutadella, segons la interpretació de Joan Callís.
The building is visible from the zoo of the park Ciutadella, according to Joan Callís interpretation.
↗ Seqüència fotogràfica de l'edifici en construcció des de l'estació de França.
Sequence of photographs of the building in construction from the França Station.

We should try to enter, because the way in which the exterior
has been constructed is only a small part of the overall project;
the interior with the movement of the apartments, should be
filmed elaborately, I think it is a beautiful sequence of spaces.
Perhaps we should ring the bell... and see if we find at home.
Bjernes Mastenbrok

Project for 6 homes on Borneo Island, Amsterdam Proyecto para 6 viviendas en Borneo Island, Amsterdam. Direct commission September 1996
Encargo directo, septiembre 1996. Architects Arquitectos → Enric Miralles Benedetta Tagliabue, Arquitectes Associats. Project Head Responsable
del proyecto → Elena Rocchi, Marc de Rooij. Location Lugar → Amsterdam, Netherlands Holanda. Client Cliente → SMIT'S BOUWBEDRIJF B.V.
Collaborators Colaboradores → De Architekten Groep, Bjarne Mastenbroek, Dick Van Gameren

EMBT SIX HOMES IN BORNEO
AMSTERDAM 1996 - 2000

→ Façade colour studies. Sketch Enric Miralles, 1997
Estudio de los colores de las fachadas. Croquis d'Enric Miralles, 1997

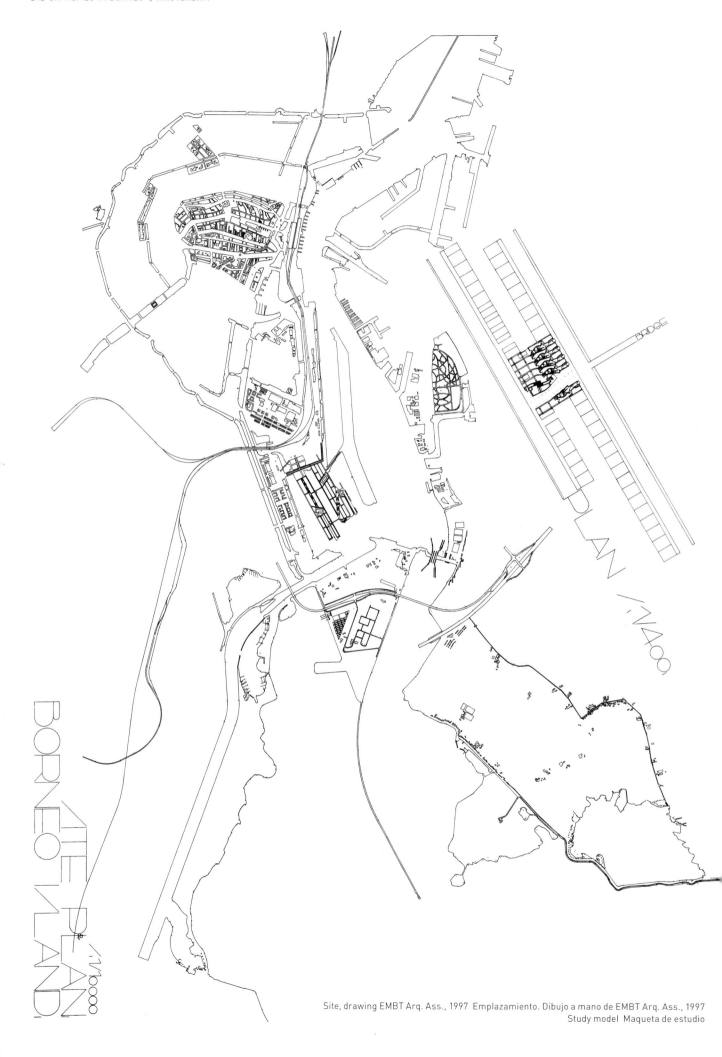

SITE PLAN 1/10000

BORNEO

PLAN 1/1400

BRIDGE

Site, drawing EMBT Arq. Ass., 1997 Emplazamiento. Dibujo a mano de EMBT Arq. Ass., 1997
Study model Maqueta de estudio

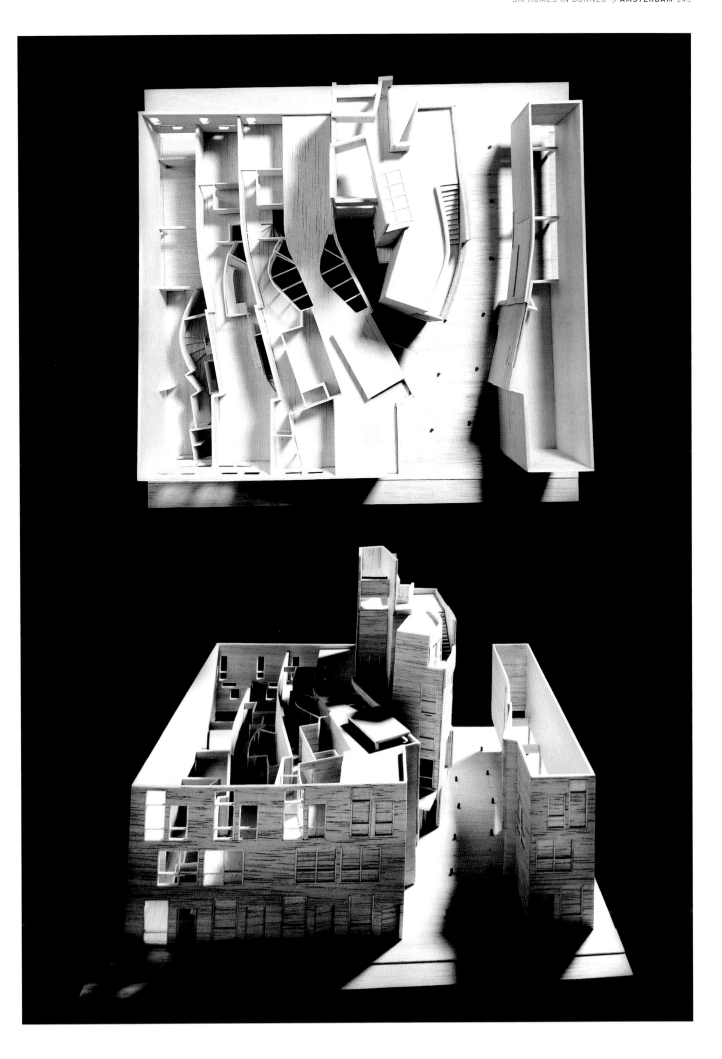

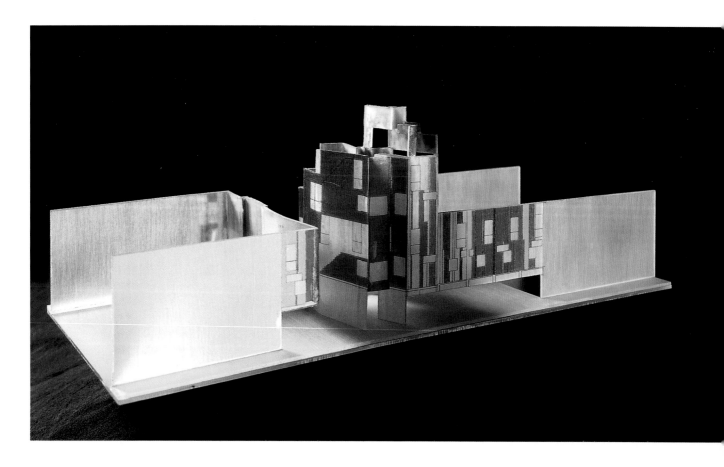

The Borneo project is a large-scale intervention,
          near the central port of Amsterdam...
     Our houses represent a small part of it...
We started from the existing planning, which consists of
          houses on either side of the street.
We transformed it into a single individual dwelling
          facing both streets...

     The first hypothesis was
the abstract planning...
          a single house strechtching from the street to street.

Then, the small crossing street that existed in the
     planning became in our eyes, a sort of "empty house"

We liked researching the Dutch tradition of
          one-room dwellings...
and from this abstract hypothesis, developing a more
intuitive way of working with conditions in
          which life develops
...
I am fond of playing with the abstract dimensions
which later will become the conditions of life....
     Enric Miralles 1997

El proyecto de Borneo es una intervención
          a gran escala en el puerto central de Ámsterdam...
          Nuestras casas representan una pequeña parte del mismo.
Partimos de la planificación existente,
          que indicaba una casa a cada lado de la calle.
La transformamos en una única vivienda individual con dos caras
          a la dos calles (un recuerdo de la "parcela gótica").

La primera hipótesis fue la planificación abstracta:
          una sola casa estirada alargada de calle a calle.
Así, el pequeño callejón de conexión que existía en la planificación
          llegó a ser como una "casa vacía".
Nos gusta investigar la tradición holandesa de las viviendas
de habitación única... y, desde esta hipótesis, abstracta,
          derivar una forma más intuitiva de trabajar
          con las condiciones en las que se desarrolla la vida.

          Me gusta jugar con las dimensiones abstractas
que luego se transformarán en condiciones para la vida...

Façade study model Maqueta de estudio de la fachada.
→ Façade colour study. Drawing Enric Miralles, 1997 Estudio de los colores de la fachada. Dibujo a mano de Enric Miralles, 1997

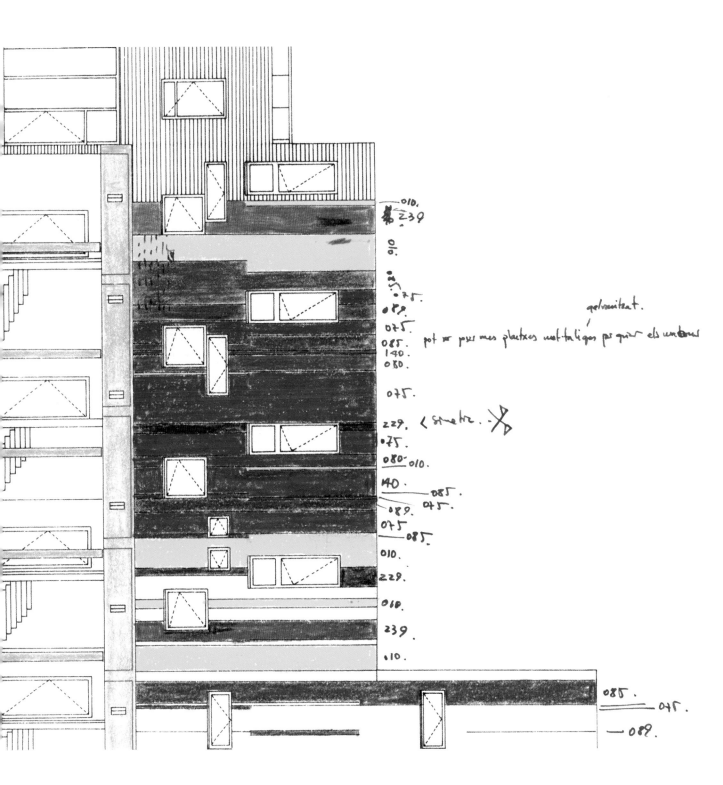

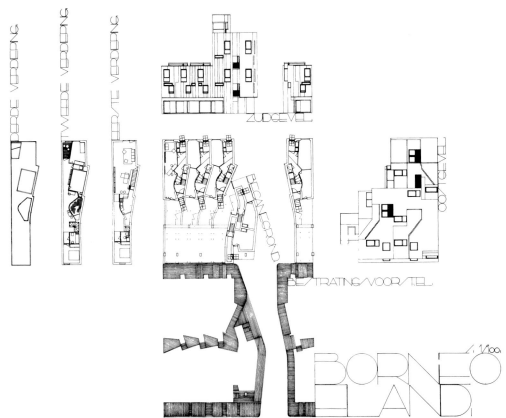

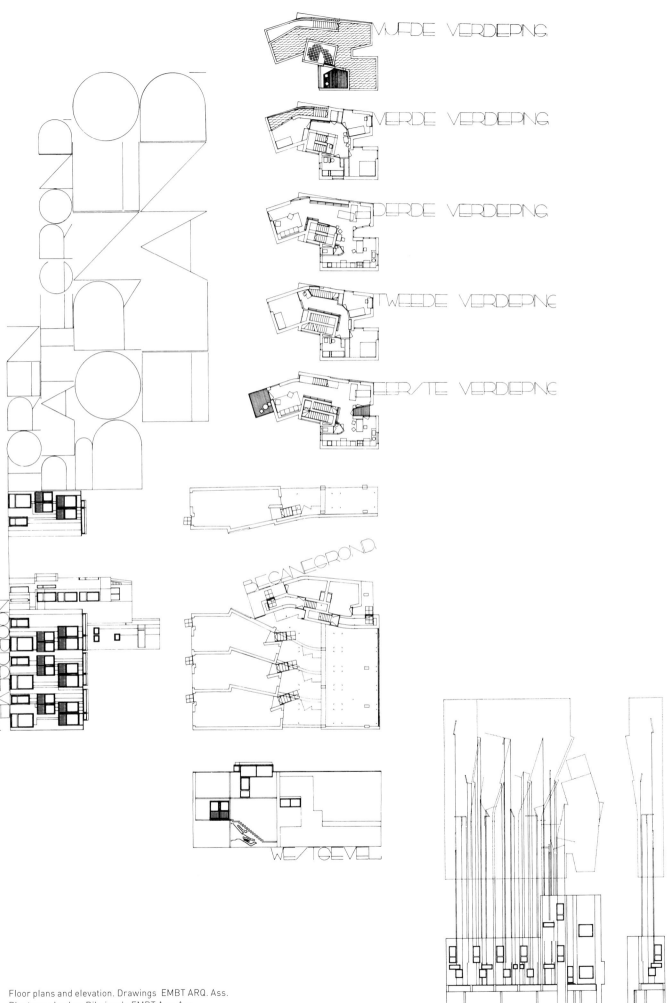

Floor plans and elevation. Drawings EMBT ARQ. Ass.
Plantas y alzados. Dibujos de EMBT Arq. Ass.

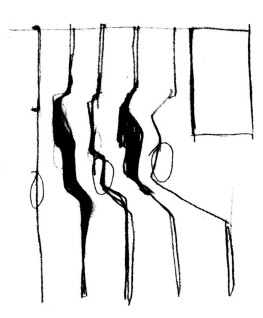

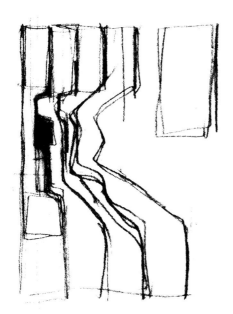

Advance sketches Enric Miralles, 1996 Croquis previos de Enric Miralles, 1996
Under construction En construcción

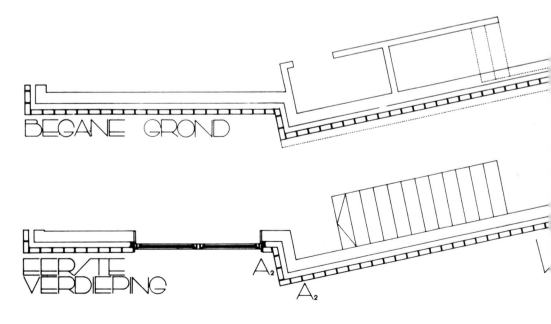

Folds in the wall. Drawing EMBT ARQ. Ass.
Detalle de los pliegues del muro. Dibujo de EMBT Arq. Ass.

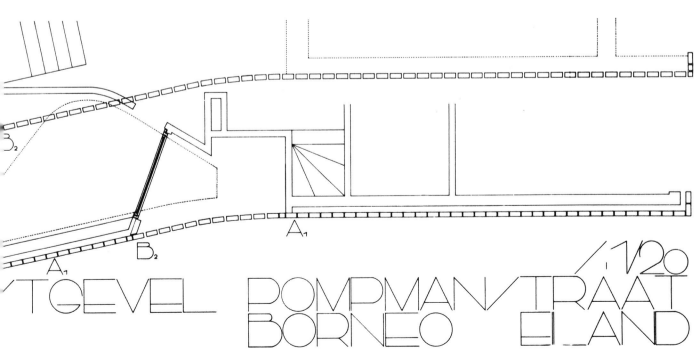

Colour and light in, joining landscape and structure, express the energy and music of a building. Surrounding the building and embracing it.
Enric Miralles and Benedetta Tagliabue

This building seems quite strange to us because in Hamburg we are conservative, we are conventional and we paint our buildings white. The Hamburg architectural tradition protested. But soon everybody seemed convinced about this sort of architecture... The building is a very important element in the overall city landscape because provocative buildings, buildings that talk, are necessary. Egber Kossak

Music school Escuela de música Competition 1997 first prize Concurso del proyecto 1997, primer premio. Architects Arquitectos → Enric Miralles Benedetta Tagliabue, Arquitectes Associats. Project Head Responsable de proyecto → Karl Unglaub. Location Lugar → Hamburg, Germany Hamburgo, Alemania. Client Cliente → Freie und Hansestadt Hamburg. Behörde Für Jugend Schule und Berufsbildung. Collaborators Colaboradores → GB Immobilien G.m.b.h., Hamburg (General Contractor Contratista general); ECE Projectmanagement G.m.b.h. & Co. KG, Hamburg (General Planning Planificación general); Strabag Hoch-und Ingenieurbau AG, Berlin (General Construction Construcción general); Windels, Timm, Morgen, Hamburg (Static Engineering Ingeniero estática); Wolfgang Jensen , Hamburg (Acoustics Acústica); Ingenieurbüro HSP, Hamburg (Electronics Electrónica); Rüppel & Rüppel, Hamburg (Landscape Architects Arquitectos paisajistas); IFFT, Institut für Fassadentechnik Frankfurt A/M Main (Engineer of Façade Ingeniero de fachada).

...Light casts shadows
and architecture is also
reflected in shadows.
In Hamburg they appear
and disappear with a
speed unimaginable in the
architecture of Barcelona...
Benedetta Tagliabue

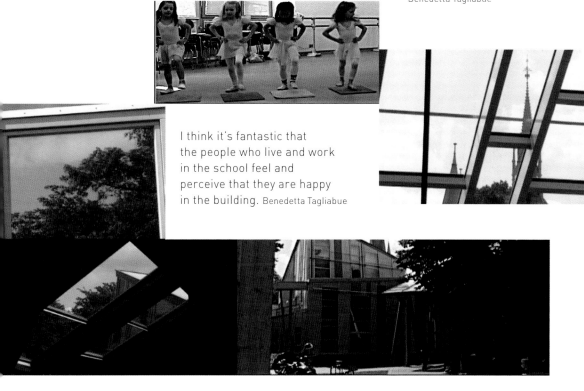

I think it's fantastic that
the people who live and work
in the school feel and
perceive that they are happy
in the building. Benedetta Tagliabue

... In the end, we were able to maintain many
of the colour elements we wanted, a part of how
the building should be perceived. We're not
dealing with just a sort of enclosed complex, but
rather with plentiful light and manifold colours
playing – for the children. Karl Unglaub

EMBT MUSIC SCHOOL
HAMBURG 1997-2000

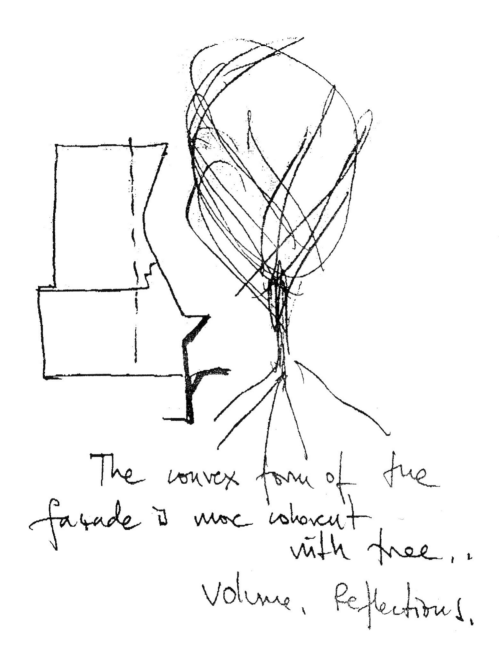

The convex form of the
façade is more coherent
with tree...
Volume, Reflections.

Sketch Enric Miralles, 1997 Croquis de Enric Miralles, 1997

The convex form of the façade is more coherent
with tree... volume, reflections
La forma convexa de la fachada es más coherente
con el árbol... volumen, reflexiones

Trees Árboles

Los árboles existentes en el sitio definen el marco del proyecto. El edificio está situado entre estos árboles y la cualidad volumétrica de los mismos se mezcla con la fachada transparente de la nueva escuela. Detrás de esta fachada se encuentra el área de espera para los alumnos –casi como aprendiendo bajo los árboles–. El nuevo edificio intenta reconocer el contexto existente y los edificios de los alrededores.

The existing trees on the site define the framework of the project. The building is situated among these trees and the volumetric quality of the trees mixes with the transparent facade of the new school. Behind this facade is the waiting area for the pupils – almost like teaching under the trees.
The new building seeks to recognize the existing context and the existing buildings of the surroundings.

Floor plan and elevation Planta y alzado

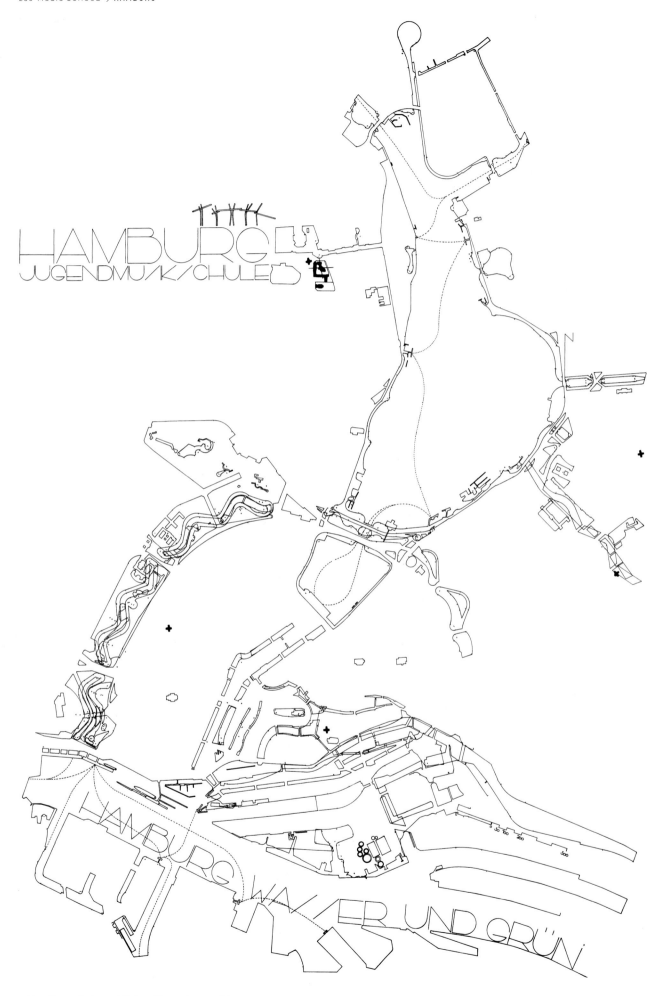

...Hamburg is beautiful, with water and trees
...Hamburgo es bellísima, con su agua y sus árboles

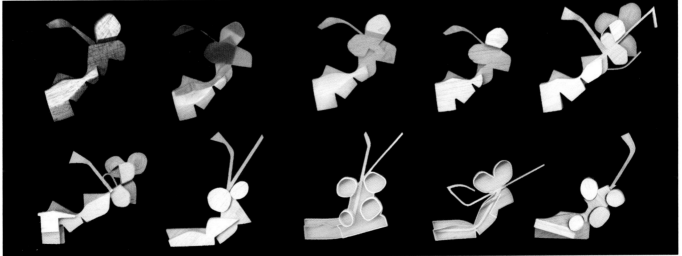

Plans overlay. Drawing EMBT Arq. Ass. Sobreposiciones de planos. Dibujo a mano de EMBT Arq. Ass.
Work models, 1997 Maquetas de trabajo, 1997

The garden facades are done in brickwork – yellow and red
– and steel-and-glass construction with coloured metal panels
for the street facade.

Landscape is continuously present within the building – glass
and steel panels wrap around
existing trees and the brick walls echo the colour and texture
of the nearby school.

El material de las fachadas es el ladrillo –amarillo y rojo–,
salvo en la fachada que da a la calle, una construcción de vidrio y
hierro con paneles metálicos de color.

El paisaje se hace evidente continuamente en el edificio –vidrio
y paneles metálicos rodean los árboles– y los muros de ladrillos
se refieren, con su color y textura, a la escuela vecina.

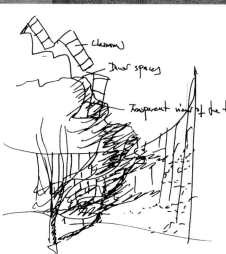

→ Competition programme, sketch Enric Miralles, 1997
Memoria del concurso. Croquis de Enric Miralles, 1997

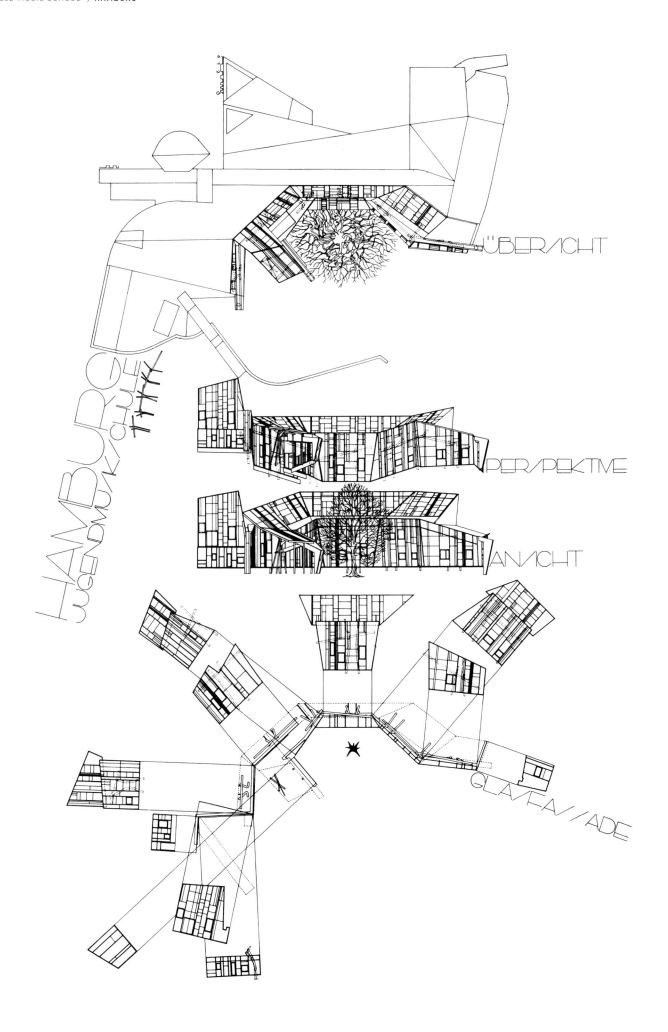

ÜBERSICHT

PERSPEKTIVE

ANSICHT

HAMBURG

JUGENDMUSIKSCHULE

GLASFASSADE

GLA/FA//ADE
AN/ICHT.
12/o4/99.

HAMBURG, JUGENDMU/K/CHULE

The school has: a public (Café, lecture rooms, etc.) and a private area (classrooms, administration area), connected by a common entrance.

The café opens on to the yard.

For functional and acoustical reasons, the classrooms are separated from the administration area on different floors.

The administrative area is located on the ground floor.

The classrooms are on the first and second floor, connected by the hall, and "amid" the trees.

A series of ramps and staircases leads from the entrance hall to the auditorium on the first floor.

This link provides a ceremonious entrance for visitors and public events.

La escuela está dividida en una zona pública (cafetería, clases de conferencias, etc.) y una privada (aulas, administración), conectadas con una entrada común.

La cafetería está abierta al "parque".

La administración, más las áreas de información y relaciones públicas, ocupa la planta baja, y las aulas están en la primera y segunda plantas, con el área del hall "entre" los árboles.

Una serie de rampas y escaleras conduce desde el hall de entrada al auditorio en la primera planta.

Esta conexión consigue una procesión ceremonial de los visitantes y sirve de escenario para los actos públicos.

← Elevations. Drawing EMBT ARQ. Ass. Alzados. Dibujo de EMBT Arq. Ass.
Collage EMBT ARQ. Ass. Collage de EMBT Arq. Ass.

The structure of the street façade is made of round pillars
and beams shaped like fragments of trees echoing the
trees outside of this building.
The inner concrete wall is clad for acoustic reasons with
panels painted in different coloured stripes similar
to that on the outside façade.

La estructura de la fachada a la calle está construida
con pilares redondos y vigas, como fragmentos
de los árboles que circundan el edificio.
La fachada interior de hormigón y la exterior están
pintadas con franjas de colores diferentes.

Exterior façade Fachada exterior / Interior Interior
→ Rear façade Fachada posterior

The introduction of colour on the facades can bring joy to the school.
The fusion of these elements, colour and light, connecting landscape to structure,
express within a building the energy and youthfulness of children and music.

La introducción del color en las fachadas podrá aportar alegría a la escuela.
El conjunto de estos elementos –color y luz– que conectan el paisaje a la estructura
expresa en un edificio la energía y la juventud de los niños y la música.

Barcelona està tallada per la Diagonal. / Ara, després d'un segle, la Diagonal arriba a la platja. / Les línies indiquen un desig, abans de tot un desig d'un món natural a la ciutat, reflex de quelcom de llunyà en les nostres ments, d'un jardí, d'un paradís.
Enric Miralles i Benedetta Tagliabue

Els primers dibuixos van resultar molt, molt emocionants, i a mesura que avançàvem en el projecte, la imaginació i la combinació es van unir per contribuir realment a la creació d'un dels millors parcs del món.
Hines, promotor

Realment és la culminació d'un somni, que era el somni de fer aquest nou barri, d'acabar aquesta part de la ciutat, d'ampliar l'avinguda Diagonal cap al mar, amb aquest passeig verd per aquí, el passeig per als vianants, per a bicicletes, per a patins, per als anedons. / Quan l'Enric va començar a parlar d'aquestes coses, vaig pensar que estava mig grillat.
Ed Fernandez, promotor

Ara que el veig construït, crec que el parc de Diagonal Mar recupera aquestes idees del principi. / El que més m'agrada quan arribes a la Diagonal és que veus una gran vibració. Arribes en aquesta plaça i veus les pèrgoles, els fils, la vegetació que comença a créixer, els gerros que pengen, la vibració de les fulles dels arbres, la vibració de les ombres, que són les coses importants que volíem aconseguir.
Benedetta Tagliabue

M'ha interessat especialment el treball d'Enric Miralles i Benedetta Tagliabue perquè crec que és precisament en un jardí d'aquestes dimensions on la construcció que l'ús imposa a l'arquitectura es relaxa més i on, en canvi, la imaginació de l'autor hi intervé amb més força. En aquest cas, ells demostren un gran poder imaginatiu, amb una llibertat de les formes i de tractament dels materials que considero particularment extraordinària.
Federico Correa, arquitecte

Un element cultural o gairebé una escultura magna al mig de la vostra ciutat, el Parc dels Colors.
Montserrat Tura, alcaldessa de Mollet del Vallès

Transformar un indret marginat en una construcció pública... que implicarà un paisatge que mai no ha existit... un paisatge ideal. Un lloc on plou cada dia -d'hora. Enric Miralles

Bé, quan van acabar l'obra del poliesportiu, juntament amb Arata Isozaki, li vaig preguntar quin arquitecte em recomanava i ell em va dir que havia de ser l'Enric Miralles, que era el millor arquitecte del món.
Valentí Agustí, alcalde de Palafolls

Quan entres al poble de Palafolls t'adones que hi ha unes bigues amb unes formes estranyes que s'assemblen moltíssim a les muntanyes que hi ha allà, al fons del paisatge. Crear una porta entre l'exterior i l'interior. És una mica com fer el lloc del límit màgic. És un lloc estrany. Quan arribes aquí gairebé sempre et perds. Quan t'acostes a la biblioteca gairebé només veus el sostre. Hem fet un edifici que és força introvertit. Està fet d'una sola habitació i la claror li ve sobretot del sostre.
Benedetta Tagliabue

Uns llibres i un somni.
Una sèrie d'habitacions i jardins acoblats, però no de forma lineal.
Enric Miralles

Conocí el edificio del aulario de Vigo casualmente. Visitaba una residencia universitaria allí mismo y, cuando salía, vi en lo alto de una colina una silueta que me recordó un insecto extraño, un ciempiés que describía ondulaciones extrañas. Quise entrar a ver las entrañas del edificio y, ya en el interior, desapareció toda referencia zoológica y me encontré con unos pasillos magníficos, unas aulas magníficas, todo iluminado con una luz cenital que entraba de una manera mágica y daba luminosidad al espacio interior.
José Antonio Martínez Lapeña, arquitecto

Enfatizar el carácter natural de este lugar: la magnífica localización, los pequeños valles interiores, la topografía... Los estudiantes deberían poder aprovechar el carácter paisajístico de este lugar: silencio, concentración, intensidad del trabajo personal en un lugar idóneo.
Enric Miralles y Benedetta Tagliabue

Unos edificios se elevan para permitir la contemplación de las montañas, otros se arrodillan para restituir un perfil, pero todos intentan crear lugares públicos desde los cuales podamos retornar la mirada a este paisaje gallego.
Dani Rosselló, arquitecto

...Tal vez la dificultad del proyecto del Parlamento estribe en la diferencia que hay entre el lugar que ocupa y el lugar que representa. El Parlamento está en Edimburgo, pero pertenece a Escocia; por eso hay que intentar representar la tierra escocesa. El proyecto surge de la montaña, de Arthur's Seat, para acercarse y acercar el paisaje a la ciudad, como una extensión de la roca. El proyecto es un conglomerado de edificios...
Joan Callís, arquitecto

...Enric Miralles tenía unas ideas sobre cómo poner el edificio en el lugar que nos parecieron muy afines. No pretendía hacer un edificio que fuera un hito, no intentaba construir la torre más alta del conjunto del centro de Escocia como marca importante del Parlamento. Miraba aquel lugar extraordinario, con el

suelo que descendía hacia el parque real y que después se elevaba hasta Arthur's Seat y Salisbury Crags. Miraba Cannongate y el Palacio, y hablaba de un edificio que pudiera crecer de allí, surgir de allí, que no se tuviera que imponer sobre el lugar...
Donald Dewar, primer ministro de Escocia

El Parlamento se reúne en la tierra... Escocia es una tierra..., no es una serie de ciudades. El Parlamento es una forma en la mente de la gente. Es un lugar mental...
Enric Miralles

Una de les coses que més m'ha impressionat de l'estudi de la Benedetta és la forma en què treballen. És un estudi ple de vida, les mans, les maquetes... Per a ells, la llum i els volums són molt importants, i és magnífic veure com ho treballen tot, ho fan tot amb les mans... Per a la Benedetta, el mercat de Santa Caterina és una obra d'una significació molt especial, molt lligada a la seva vida, al seu barri... La relació de la Benedetta amb els seus col·laboradors és part d'un procés on la humanitat i el talent van sempre junts i no es separen mai.
Bigas Luna

El mercat de Santa Caterina era un monestir, un espai on el cel s'obria. Realment, si arribes fins en aquesta gran esplanada, t'adones de l'escala que té en relació amb la resta de la ciutat i, en el lloc del mercat, l'amplària de cel és enorme; aleshores, gairebé pots dibuixar el que passa a l'espai de la ciutat vella, dibuixant el cel, mirant cap a dalt. Un mercat és una plaça, en català també se'n diu la plaça, i per a nosaltres ha estat important conservar aquesta idea de la transparència, d'un lloc a través del qual es passa... O sigui un espai obert on es fa comerç i que, de nit, quan el comerç ja ha desaparegut, és la plaça, és un lloc públic.
Benedetta Tagliabue

p. 158
SPONGING - Enric Miralles
Spongy is a qualifier that recalls pastry fresh out of the oven, a delicate food... The best cakes: Sunday. It is hard to translate this word to the city. What does the term mean? I don't think it has anything to do with the marine origins of the sponge. It's an odd word: cities don't absorb water, nor do they expand or shrink elastically.
Nor do I think that you can find a relation between the object's marine origins and the proximity to the sea of this bit of the city... If by the term we are referring to the multitude of interior cells, to the holes... we could also speak of *gruyerization* or of *emmentalization*, though their smell and the traditional attraction that mice have for these cheeses would seem to advise against using their image as a means of clarifying the concept that the plan seeks to explain.
Words, like layout plans, change things. Through them it is hard to see the reality, the complex reality they hide. In this part of the city no generalization is possible. Like all instruments that act upon the reality, the plan is closely linked to a few very specific years

and ideas. And after a brief lapse of time, now that we see the first results we realize that the plan is a brutal simplification of a complex reality. You can't speak demagogically of the benevolence of a demolition policy without making reference to the historic continuity of the idea... at a time when the manner of understanding the city has totally changed. Communication by means of the seafront motorway (Cinturó del Litoral), greater density of public transport, density and diversity of business activities, renewed interest in discovering a place to live and work. It's 1995 and we're carrying out the demolition work initiated under Cerdà's plan in the late 19th century and defending the vague hygienist ideas of the thirties. All mixed up with an even more confused idea of what sort of architecture to build on the site of demolition.
So, instead of talking about specific problems, we're talking about "sponging", "regularity", etcetera, all presented on posters that appear round the city in the same places as adverts. They're always bird's eye views that show this bit of the city without getting close to the ground.
If they did so, if the perspective were that of a pedestrian, we'd see all the ground floor premises poised to become a potential shopping *continuum*, which could in time become larger than markets like Santa Caterina.
And we'd see how the city is becoming bogged down in an absurd separation of uses: it now seems that in order to have fun the only place to go is Maremàgnum, where we find this absurd density of bars, stacked one atop the other.
These *informative* (another difficult, dangerous word) posters are drawings with clean, cheerful colours... They show us a city like those we see in Japanese cartoons. They look like they were made so that the folks who stroll "down" (another word that needs discussing) the Ramblas on Sunday to the port can say: "See, all this has been straightened out in the end."
But those who live here only look on in horror, looking to see if their home is in one of these holes.
Everything looks like Plaça Reial... The only thing distinguishable feature is the silhouette of Santa Maria, or the cathedral...
"How can it be?", "Everything is gone..."
"This is Parc de la Ciutadella."
"I don't know, it's all a mess."
Once again, everything is deceitfully simplified.
And then they propose an architecture that is a ridiculous mimicking of historical styles. As if the proportions of a few windows coupled with the planners' phobia of the irregular – the text of the plan speaks with horror of all that is not straight – could conceal building types taken from the worst commercial style of the speculative models that built the city outskirts. These *little brats* who can't grasp the complex logic of the overlaying of different ways of living... Who don't understand that living in this neighbourhood is the joy of discovering what has already been used... It's like a second-hand coat that slowly moulds itself to the new user.
What a disgrace these flats in which only the kitchen is well resolved. Ciutat

Vella (and of this term we shall indeed talk) will never be viable under these standards.
This bit of the city is the site of a complex reality, where real transformation comes not from a real estate market, but from a complex web of small-scale personal initiatives. Citizens who have discovered that this is a wonderful place to live and work. These personal initiatives merit adequate support. To the city, to the plan falls the responsibility of not tearing down, of not making anything disappear that it doesn't feel able to replace with something of equal worth. This *suburbialization* that is now beginning has only been possible thanks to this series of interventions. Living and working in this street has made us understand that there is no difference between old and new. To open our eyes, beyond the poverty concealed round some corners, in order to understand the most literal application of the sponge to the city. With a bit of soap, the sponge, or better yet the broom, is a wonderful cleaning tool. To clean, discover all that exists underneath these forgotten surfaces, in this place that I don't know why they call old: Ciutat Vella. In other places they refer to the heart of the city as the monumental centre, the historic city...
"All right, old might be a more human, more familiar term... but be careful with words and with plans."
This bit of the city is neither old nor does it need sponging.

---

p. 182-183
CITY HALL → **UTRECHT**

Visitamos el estudio y vuestra casa, fue realmente bonito. La madre de Enric hizo la comida aquel día y luego nos fuimos. Es una casa del casco antiguo. Por eso, el anterior alcalde me dijo cuando salimos: "Ahora ya sabemos qué arquitecto hay que elegir". Y así lo hicimos.
Albert Huitchmakers, arquitecto

El edificio era muy popular. Estaba formado por una serie de casas que, con los años, se habían transformado en el Ayuntamiento, pero todo el conjunto se había convertido en un lugar un poco tenebroso, mal adaptado, mal utilizado, y el paso del tiempo también había sido negativo. Ahora era cuestión de dejar entrar la luz, de agujerearlo, de abrirlo, de convertirlo otra vez en la "casa de la ciudad", construir una casa. Hemos podido hacer una sala de doble altura en la que se muestran las estructuras de las diferentes épocas en que hubo intervenciones en este edificio.
Benedetta Tagliabue

El edificio del ayuntamiento está justo detrás del canal más importante de la ciudad, y por su otro lado otro canal muy importante bordea la manzana. Antes, toda una serie de esas profundas casas holandesas de diferentes períodos, tan típicas, solían cercar el sitio. Con el paso del tiempo, la más importante, que tenía un patio, se fundió con dos o tres casas vecinas y se convirtió en el ayuntamiento. Más adelante, se le añadieron otros edificios...
Enric Miralles, Benedetta Tagliabue 1997

---

p. 200-201
ISTITUTO UNIVERSITARIO → **VENEZIA**

Hace poco, iba caminando por Venecia, hacia el lugar de nuestro proyecto, y me di cuenta de que me desplazaba en *vaporetto* y después a pie, y seguía la referencia de nuestra grúa. Y es que para mí, ahora, esta grúa es como el Norte para orientarme en Venecia, como el *campanile* de San Marcos, la torre de la iglesia, lo es para cualquier veneciano. Para nosotros, el proyecto de Venecia es un reflejo.
Elena Rocchi, arquitecta

Nos gusta imaginar que este edificio de la Universidad de Venecia ha aterrizado desde el cielo. Quizá por esto es más denso arriba, donde están la sala de exposiciones y las aulas, que son como celdas de monasterio donde los estudiantes se concentran y sólo tienen la luz del cielo. La parte baja, en cambio, es más pública y mucho más abierta. Incluye todos los auditorios, el auditorio grande y el más pequeño, y, sobre todo, la amplia escalera en la que los estudiantes pueden mirar el Canale della Giudecca, tomar el sol y dedicarse a esa parte del estudio más relacionada con la conversación. Y en la parte trasera, que mira a la ciudad de Venecia, hay una plazuela, un *campiello* más pequeño, de tamaño comparable al Campiello di San Niccolo.
Benedetta Tagliabue

En la fachada del edificio haremos un gran cuadro con cristales de Murano. He partido de un dibujo muy libre, en el que he dado la máxima importancia al color.
Jacint Todó, pintor

---

p. 203
Todos sabemos que, finalmente, ni Frank Lloyd Wright, ni Le Corbusier, ni Louis Kahn jamás construyeron en Venecia... / Sin embargo esos proyectos siguen siendo un lugar de reflexión.... / Y esto es Venecia. / Venecia es un lugar extraordinario para la reflexión. / Un lugar extraño que me lleva a preguntar por qué un arquitecto como Louis Kahn escribiría, y construiría de acuerdo con ello, / que "una calle es una habitación" y por qué, mientras con esta idea en mente parecía / capaz de abrazar Venecia, en su proyecto, en cambio, se aleja de ella... / Mira el Palazzo Ducale desde lejos, / y también (desde lejos mira) a través de las cúpulas, el pasado bizantino de la ciudad... / Un lugar extraño en el que se siente la presencia / de lo que fue el modelo de la ciudad compacta, / con su superposición de estratos / que acompañó a la segunda mitad del siglo XX. / Un lugar extraño, donde aún se percibe la duda sobre la oportunidad de un nuevo edificio para el IUAV en el Canale della Giudecca / Desde el barco puedes preguntarte: "¿Cómo encajará el edificio aquí, en la Zattere?" / Un lugar extraño, en el que las cosas se mezclan con el tiempo de la ciudad... / Un lugar extraño / en el que los Situacionistas no pudieron tejer una *deriva* / Muchos han construido una Venecia en el aire, en su imaginación... / Venecia es el origen de las ciudades invisibles de Calvino... / Desde Venecia, extraordinaria escuela de

---

arquitectura, no parece necesario renovar la ciudad para encontrar en ella nuevo material pedagógico... / Pero cuando empezamos a trabajar / en la ciudad todo se hace más claro, / Lo extraño desaparece, y se transforma en la necesidad / de aceptar diferentes formas de construcción... / Venecia propone una larga lista de limitaciones.... / Esta lista te permite trabajar guiado... / Venecia es una compañera excelente, que te conduce por un camino bien definido y seguro... / Por ejemplo, en su extraordinaria riqueza urbana, / te enseña que un edificio nunca debe esconder el hecho de no tener / un carácter urbano, mediante la repetición en su interior / de elementos urbanos destruidos... / Ni edificios que son calles, / ni edificios que son plazas... / sino conformar el espacio urbano de un modo sutil, / no mostrar demasiado: / es mejor esconder que mostrar... / no levantar la cabeza, / simplemente alzar la mirada. / Mostar el lado fuerte, / no rascarse la cabeza, / ni siquiera en privado. / Tener cuidado... / la acústica en Venecia es primordial; / un edificio tiene que respetar su eco. / Intentar admirar las camas del fakir / sin sentarse... en ellas / Intentar respetar la tacañería de los pasos. / No tener miedo de dar vuelta a la esquina. / Pequeño / Todo pequeño... / Todo es más pequeño de lo que / debería serlo en este lado..... / y más..., y más... y más...

---

p. 218-219
GAS NATURAL → **BARCELONA**

Un edifici immens, molt agosarat, que s'ha anat adaptant als suggeriments que sortien, les necessitats, les dificultats que preveia l'usuari. El resultat em sembla admirable.
Francesc Mitjans, arquitecte

És un lloc molt especial, des d'aquí es pot veure gairebé tota la ciutat, hi ha confluències de moltes zones i el projecte vol explicar això, que l'edifici es deixa formar per totes les forces que conflueixen aquí. Una força increïble del Cinturó, de tot aquest moviment, de cotxes, de gent que passa... Des d'aquí pots veure la força de la Vila Olímpica, que ha crescut, i d'aquestes torres... L'edifici serà una mica l'intent de reunir tot això.
Benedetta Tagliabue

El nou edifici té una voluntat molt clara de ser compatible amb el seu entorn urbà: - La petita escala del barri de la Barceloneta... - Els habitatges propers i el parc... els nous edificis alts de Barcelona
Enric Miralles

El volum d'oficines es trenca en dos. L'un vertical i l'altre horitzontal. Gairebé de la mateixa longitud... Hi ha un gratacels vertical al costat d'un altre d'horitzontal, en voladís. Entre ells, una porta obre l'edifici al vianant.
Elena Rocchi, arquitecta

I l'hem fet a la Barceloneta, perquè allà és on va néixer la indústria del gas a Barcelona. De fet, la primera fàbrica la van fer allà, fa cent seixanta anys.
Antoni Flos, directiu de Gas Natural

---

p. 238-239
SIX HOMES IN BORNEO → **AMSTERDAM**

Deberíamos intentar entrar, porque la forma en que se ha trabajado el exterior es sólo una pequeña parte del proyecto en conjunto; el interior, con el movimiento de los apartamentos, debería filmarse de un modo elaborado, pues creo que es una hermosa secuencia de espacios. Tal vez deberíamos tocar un timbre..., a ver si encontramos a alguien.
Bjernes Mastenbrok, arquitecto

---

p. 252-253
MUSIC SCHOOL → **HAMBURG**

...El edificio de Hamburgo nos parece muy extraño porque somos conservadores, somos convencionales y tenemos edificios pintados de blanco. La tradición arquitectónica de Hamburgo protestaba. Pero de pronto, todo el mundo parece convencido de este tipo de arquitectura... El edificio es un elemento muy importante en todo el paisaje de la ciudad porque los edificios extraños, los edificios provocadores, los edificios que hablan, son necesarios.
Egber Kossak, arquitecto

Color y luz, conectando el paisaje y la estructura, expresan la energía y la música en un edificio. Rodeando el edificio y sosteniéndolo.
Enric Miralles, Benedetta Tagliabue

Creo que es fantástico que las personas que viven y trabajan en la escuela sientan y perciban que son más felices en el edificio.
Benedetta Tagliabue

...La luz provoca las sombras y la arquitectura también se refleja en las sombras. Aparece y desaparece con una rapidez inimaginable en una arquitectura de Barcelona.
Benedetta Tagliabue

Al final, pudimos mantener muchos de los elementos de color que deseábamos, y eso forma parte de cómo debería percibirse este edificio. No se trata sólo de una especie de recinto cerrado en sí mismo, sino de mucha luz y de múltiples colores jugando, para los niños.
Karl Unglaub, arquitecto

EMBT
Enric Miralles Benedetta Tagliabue
Arquitectes Associats

Principal persons
Joan Callis, Elena Rocchi, Karl Unglaub,

Project leaders
Igor Peraza, Daniel Rosselló, Josep Ustrell,
Fabián Asunción, Lluís Cantallops,
Makoto Fukuda, Marc de Rooij

Pol Agustí, Juris Baraelli, Mònica Batalla,
Cecilia Bertozzi, Kenneth Bonifaz, José Fernando Brijaldo,
Paulo Carneiro Fernandes, Jorge Carvajal García, Celine Carvese,
Constanza Chara, Eugenio Cirulli, Carolina Civarolo,
Antònia Codina, Lluís Corbella, Santiago Crespi, Gonzalo Elizarraras,
Silvie de Vos, Ina Fertig, Bernardo Figueirinhas, Mireia Fornells,
Montserrat Galindo, Honorinda García, Stefan Geenen,
Joana Guerra, Carla Guimaraes Cruz, Enno Hergenhan,
Ula Iruretagoiena, Simon Junge, Joana Karatzas,
Natalia Kokosalaki, Hanka Krismanski, Annie Kwon,
Andrea Landell de Moura, Javier Logreira, Guillermo Martínez Coghlan,
Christian Molina, Assunta di Monaco, Elena Nedelcu, Lucia Ortiz,
Maria Adelaide Pasetti, Roger Pérez, Kanini Petronilla,
Judit Rigerszki, Sandra Riveiro, Liliana Rodrigues, Jordi Roldán,
Gabriele Rotelli, Jana Scheifele, Alexander Schmidt, Kerstin Schwindt,
Roberto Sforza, Fabio Sgroi, Ana Sofia Saraiva, Alexandra Spiegel,
Doris Tarchopulos, Jose Manuel la Torre, Laura Valentini,
Martina Viganò, Umberto Viotto, Sabine Zaharanski, Isabel Zaragoza

Office EMBT Arq. Ass.
Despatx EMBT Arq. Ass.
Parc Diagonal Mar

...through 2005

Valentina A. Di SanMarzano, Lis Accioli, Anna Acebillo, Carlos Alberto Ruiz, Ricardo Alessandroni, Nicolás Álvarez, Marco Antonio Ávila, Barbara Apolloni, Omer Arbel, Jordi Artigues, Iñaki Baquero, Daniele Bassau, Cesare Batelli, Sabine Bauchmann, Steven Becaus, Nils Becker, Josep Belles, Sania Belli, Anke Birr, Josep Bohigas, Charlotte Bojsen-Möller, P. Bondgaard, Liliana Bonforte Pernilla, Katarina Bonhag, Mónica Bosnio, Emanuele Bottigella, Alicia Bramon, Fernanda Brancatelli, Isabel Brebbia, Richard Breit, Tom Broekaert, Sandy Brunner, Roberta Buccheri, Josep Cargol, Juan Carlos Mejías, José Carrasco, Monica Carrera, Marcos Carrión, Cláudia Casdevall, Marta Cases, Angelo Catania, Ezequiel Cattaneo, Alexandra Clausen, Mikael Coing Miller, Michael Coing-Maillet, Piercarlo Comacchio, Katy Chada, Achim Charisius, Massimo Chizzola, Gustavo da Silva Nicoletti, Jesper Dano, Marco Dario Chirdel, Lucia De Colle, Raphael de Montard, Diego de Rinaldis, Maurizio De Rosa, Marco Della Porta, Luciano Di Domenico, Hernán Diaz Alonso, Ane Ebbeskov Olsen, Stefan Eckert, Jorje Eduardo Narvaez, Christiane Egger, Michael Eichorn, Guillaume Faraut, Nuno Felipe de Almeida, Albert Ferré, Carlotta Filippini, Ricardo Flores, Angelos Floros, Wendy Fok, Marc Forteza, Emmanuel Frances, Jean Francois Vaudeville, Vincenzo Franza, Loren Freed, Iris Fuchs, Anne Galmar, Anna Galmer, Javier García German, Victoria Garriga, Angel Gaspar Caspado, Joshua Gassman, Loïc Gestin, Leonardo Giovannozzi, Gerardo Gonzáles, Sven Gosmann, Tobias Gottshalk, Adria Goula, Gianmarco Grebe, Ute Grölz, Gianfranco Grondona, Marion Guinanad, Anne Haaning, Lukas Hainz, Mirja Hamann, Fernanda Hannah, Sara Hay, Jeffrey Hendricks, Sonia Henriques, Rafael Herrin-Ferri, Cherie Hidalgo, Cristine Himmler, Christine Himmler, Christopher Hitz, Christopher Hitz, Annette Hoëller, Christopher Höfler, Annete Höller, Nuno Jacinto, Francesco Jacques-Dias, Ricardo Jiménez, Tue Kappel, Kristina Kinder, Akira Kita, Jan Koettgen, Hirotaka Koizumi, Klaus Kosina, Ane Kristine Olsen, Joachim Krüger, Gianfranco La Cotagna, Stephanie La Draoullec, Pedro Lafuente, Griet Lambrecht, Niels-Martin Larsen Prisca, Agnes Latour, Agnes Latour, Pierre Lauper, Noël Laverde, Marcus Lechelt, Markus Lechelt, Vibeke Linde Strandby, Jan Locke, Alexander López, Israel López, Leandro López, Mara Lübbert, Claudia Lucchini, Wolfgang Lukas Hainz, Nicolai Lund Overgaad, Miquel Lluch, George Mahnke, Annie Marcela Henao, Ana Maria Romero, Anna Maria Tosi, Josep Massachs, Fabrizio Massoni, Bjernes Mastenbroek, Francesco Matuzzi, Sibyl Maurer, Kelie Mayfield, Fergus Mc Ardle, Dominic Mc Kenzie, Josep Miás, Pierre Michaud, Roberto Mier, Andrea Möller, Fernando Mota, Petra Müller, Marlu Muller-Ortloff, Albert Nasser, Julie Nicaise, Alejandro Noreña, Emanuela Not, Barbara Oel Brandt, Pedro Ogesto Vallina, Mette Olsen, Meinrad Ortlieb, Sabine Panis, Eloi Parrales, Rocío Peña, Francesc Pla, Joan Poca, Francesco Poli, Katrin Pongratz, Hubertus Pöppinghaus, Eva Prats, Nadja Pröwer, Ignacio Quintana, Alicia Reiber, Rebecca Richwhite, Bernando Ríos, Xavier Rodríguez, Gerán Rojas, Jorge Rollán, Mary Rose Gereene, Ali Saad, Tomoko Sakamoto, Jad Salhab, Pep Salló, Isabel Sambeth, Susie Sanchez, Peter Sándor Nagy, Marco Santini, Elena Saricu, Verena Sarnthein, Oliver Schmidt, Aniket Shahane, Torsten Skoetz, Ryul Song, Christine Stauss, Sandra Stecklina, Tomas Stellmach, Ulrike Stübner, Francesca Tata, Silke Techen, Vicki Thake, Vichi Thake, Luca Tonella, Koichi Tono, Jacop Ursing, Margherita Vaghi, Rodrigo Valbuena, del Valle, Alejandra Vazquez, Omar Véjar, Claudia Vernier, Adrien Verschuere, Florencia Vetcher, Juanita Villamil, Antonie Vizonnau, Andrew Vrana, I. Witt, Pia Wortham, Thomas Wuttke, German Zambrana, Martin Zimmerhakl...

MINISTERIO DE VIVIENDA

Ministra de Vivienda
Ministra d'Habitage
Minister of Housing
Maria Antonia Trujillo

Secretario General de Vivienda
Secretari General d'Habitatge
General Secretary of Housing
Javier Eugenio Ramos Guallart

Subsecretaria de Vivienda
Subsecretària d'Habitatge
Subsecretary of Housing
Mercedes E. del Palacio

Secretario General Técnico
Secretari General Tècnic
General Technical Secretary
Javier García Fernández

Director General de Arquitectura y Política de Vivienda
Director General d'Arquitectura i Política d'Habitatge
General Director for Architecture and Housing Policies
Rafael Pacheco Rubio

COL·LEGI D'ARQUITECTES DE CATALUNYA

Decano Dean Degà
Jesús Alonso i Sáinz

Secretario Secretary Secretari
Jorge Ozores Marco-Gardoqui

Tesorero Treasurer Tresorer
Josep Maria Guillumet i Anés

Presidentes Demarcaciones
Branch Chairmen
Presidents Demarcacions
Jordi Ludevid i Anglada
Carlos Vergés i Alonso
Carles Bosch i Genover
Pere Robert i Sampietro
Jordi Bergadà i Masquef

Vocales Vocals Board Members
Jordi Sardà i Ferran
Santiago Cervelló i Delgado
Joaquim Figa i Mataró
Elsa Ibar i Torras

AJUNTAMENT DE BARCELONA

Sector d'Urbanisme

Editor
Publisher
Col·legi d'Arquitectes
de Catalunya

Director
Responsable de la edición
Responsable de l'edició Editor
EMBT- Benedetta Tagliabue

Coordinación EMBT
Coordinació Coordination EMBT
Maria Adelaide Pasetti
Elena Rocchi
Isabel Zaragoza

Coordinación COAC
Coordinació Coordination COAC
Àrea de Cultura, Formació i
Publicacions
Laura Parellada
Oleguer Gelpí

Búsqueda de documentación
Documentation research
Recerca de documentació
Isabel Zaragoza
Mireia Fornells

Diseño gráfico
Disseny gràfic Graphic Design
Margherita Vaghi
for EMBT Graphic Qsins

Traducción
Traducció Translation
Anna Campeny
Edward Krasny
Josephine Ryan

Fotografía cubierta
Cover photograph
Fotografia coberta
Yoshio Futagawa

Producción
Producció Production
Actar Pro

Impresión
Impressió Printing
Ingoprint SA

Distribución
Distribució Distribution
ACTAR
Roca i Batlle 2,
08023 Barcelona
Tel. +34.934187759
Fax +33.934186707
e-mail: info@actar-mail.com
www.actar.es

© COAC. Pl. Nova 5
08002 Barcelona.
© Texts: the authors
© Photographs: the authors
© All rights reserved
ISBN 84-96185-45-1
D.L. B-8184-05
N.I.P.O. 751-05-006-1
Printed and bound
in the European Union

Agradecimientos
Agraïments Acknowledgements
Col·legi Oficial d'Arquitectes
de les Illes Baleares
Colaboradores Col·laboradors
CAM Caja de Ahorros
del Mediterráneo

© Autores de las fotografías
© Autors de les fotografies
© Photography
Toni Cumella
p.45↑, 178-179
Markus Dorfmüller / Kröger
p.36, 254, 260, 267
Adam Elder p. 119,
Alex Gautier
p.36, 37, 40↑, 42↑, 82, 93↑, 94, 95
Lourdes Jansana
p.38, 45↙, 46, 88, 89, 100, 121↓,
130, 138, 142-143↓, 147c, 187, 207,
208, 212↓, 216, 230-231, 234, 240,
244, 246, 248
Duccio Malagamba
p.96, 109, 184, 193, 196, 198↑, 264,
265, 116↓, 117, 122↑↙, 133, 136↘,
140, 141↑, 145,
Domi Mora
p.47↓, 60↑, 61↑, 62, 64↓, 104,
105, 112, 126↓, 160, 220, 229↓
Eric Morin
p.190, 192, 194, 195, 198↓, 199
Jordi Pareto p.148-149
Scottish Parliament
p. 116↑, 124↑, 125, 131,
Manel Quadrada
p.146a-b, 147d, 150, 154, 155, 180
Christian Richters
p. 110-111, 115, 122↘, 137, 141↓, 144,
Rafael Vargas p.270
Hisao Suzuki p.189
Ken Withcombe p.102, 107
Giovanni Zanzi p. 29, 43, 50, 212,
243, 250
DVD Bigas Luna
p. 26-27, 48-49, 66-67, 80-81, 98-99,
146-147, 156-157, 182-183, 200-201,
218-219, 238-239, 252-253

Concurso de fotografía amateur
Concurs de fotografia amateur
Amateur photography competition
Mollet del Vallès
Josep M. Molinos p.63↑
Yolanda Ortega p.56-57
Jordi Segalés i Corominas p.63↙
Jaume Sala p.64 ↑
Joan F. González Dankaart p. 63↘

By EMBT Arq. Ass.
124
Veronica Bellioli p.237↖
Joan Callís p.128, 129, 132, 136 ←,
139, 142↑, 236
Luis Corbella p.164
Constanza Chara p.174, 175↓
Massimo Chizzola p.177
Makoto Fukuda p. 40-41, 68, 70,
76-77, 78, 172
Stephan Geenen p.153↓, 229
Gianfranco Grondona p.161↑
Andrea Landell de Moura p.232
Cristian Molina p.167
Roberto Mier p.38↑, 38↓, 39,181↑
Elena Nedelcu p.152
Dani Rosselló p.84, 90, 92
Sofia Saraiva p.237

DVD
"STATE OF WORKS MIRALLES TAGLIABUE EMBT
Arquitectes Associats, JULY 2002"

Idea original
Original idea
Taller Bigas Luna

Realizadora
Producer
Catalina Pons

Ayudante de realización
Assistant producer
David Victori

Director de fotografía
Director of photography
Alex Gaultier

Producción
Production
Montse Abbad,
David Molina

Montadora
Film editor
Ana Oriol

DVD
"STATE OF WORKS MIRALLES TAGLIABUE EMBT
Arquitectes Associats, FEBRUARY 2005"
Una película de Enric Miralles Benedetta Tagliabue EMBT Arquitectes Associats

Realizador
Producer
Miguel Rubio

Dirección de Fotografía
Director of photography
Toni Hernández

Producción
Production
Jordi Marqués

Ayudante de Cámara
y sonido
Camera assistant
Miguel Ángel Marcos

Montaje
Film editor
Miguel Rubio
Arnau Quiles. Estudi
Mariscal

Producción Ejecutiva
Executive production
Marc Sala. Pat Sala.
Bcn Economistes